THE TEXTBOOK OF SPINE

척추 및 척수의 장애평가

대한척추신경외과학회

The Textbook of Spine

척추 및 척수의 장애평가

첫째판 1쇄 인쇄 | 2018년 8월 22일
첫째판 1쇄 발행 | 2018년 9월 7일

지 은 이 대한척추신경외과학회
발 행 인 장주연
출 판 기 획 이상훈
책 임 편 집 배혜주
편집디자인 주은미
표지디자인 김재욱
일 러 스 트 김경열
제 작 담 당 신상현
발 행 처 군자출판사(주)
등록 제4-139호(1991. 6. 24)
본사 (10881) **파주출판단지** 경기도 파주시 회동길 338(서패동 474-1)
전화 (031) 943-1888 팩스 (031) 955-9545
홈페이지 | www.koonja.co.kr

ISBN 979-11-5955-355-4
정가 20,000원

The Textbook of Spine

척추 및 척수의 장애평가

Contents

척추 및 척수의 장애평가 03

1. 장애평가보고서의 역할 04

2. 감정인의 법률적 지위 및 자격 05
   1) 감정인의 의무 05
   2) 감정인의 결격사유와 기피신청 06
   3) 감정인의 자격 06

3. 의료감정서의 작성원칙 06
   1) 의료감정서의 발행 목적(Clarification of purpose) 07
   2) 철저한 준비(Complete Preparation) 07
   3) 감정서 내용에 충실(Content) 08
   4) 원활한 의사소통(Communication) 09
   5) 장애(障碍)와 장해(障害) 용어의 정리 09

4. 척추장애 판정 기준 10
   1) 맥브라이드 척추장애 판정법 10
      (1) 맥브라이드 방식의 특징
      (2) 맥브라이드식 척추장애 평가 기준 적용

2) 생명 보험에서의 척추장애 판정 18
(1) 2005년 5월 1일 이후 최근의 척추장애 판정기준
(2) 99년 2월 1일 ~ 2005년 4월 30일까지의 생명보험 척추장애 평가 기준
(3) 76년 7월 1일 ~ 99년 1월 30일까지의 생명보험 척추장애 판정 분류
(4) 생명 보험사의 척추장애 판정의 문제점
3) 장애인 복지법에 의한 장애평가 방법 25
(1) 척추장애의 분류
(2) 척추장애의 판정시기
(3) 판정개요
(4) 변형 등의 장애(장애인복지법 변형 평가기준)
(5) 장애인 등록 판정에 대한 문제점
4) 국민연금법 척추의 장애 판정 32
(1) 장해등급 구분의 기준
(2) 세부인정 사항(국연금법 척추장애 기준)
(3) 척수손상 시 장애판정
5) 산업재해 보상법에 따른 척추장애 판정 39
(1) 산업재해 척추 장애 판정 시 기록해야 할 사항
(2) 척추장애 판정방법

Contents

(3) 척추의 부위별 산정
(4) 척추 기능장애 평가
(5) 척추 변형장애 평가
(6) 척추신경근장애
(7) 산재재해보상법에서 척수손상 시 장애 판정법
6) AMA 척추장애 판정 기준 45
(1) AMA 6판의 특징
(2) AMA 6판의 문제점
(3) AMA(6판 기준) 판정방법
(4) AMA 장애평가 시 척추의 구분
(5) 진단분류(Diagnosis-Base)
(6) AMA 6판의 장애등급 및 장애율 정도의 정의
(7) AMA 척추부 등급체계
(8) AMA 장애율 조정
(9) AMA 척수장애의 판정
7) 대한의학회 척추장애 평가 56
(1) 장애평가의 정의와 평가시기
(2) 장애평가의 일반원칙

8) 추간판(반) 탈출증에서 사고와의 관여도 문제 72
(1) 추간판탈출증의 발생 기전
(2) 추간판탈출증에서의 사고와의 관여도 측정
9) 장애 지속기간에 대해서(한시, 영구 장애기간에 대해) 76
10) 척추의 운동각도 측정(Range of Motion) 79
11) 척추체 압박율 및 후만각 측정 82
(1) 척추체 압박율 측정방법
(2) 척추체 압박 후만각(Kyphosis)측정
12) 여명에 대하여 85
13) 척추손상 시 개호에 대하여 87
14) 향후 치료 내역과 예상 비용 88

5. 요약 89

척 · 추 · 학
The Textbook of Spine

척추 및 척수의 장애평가

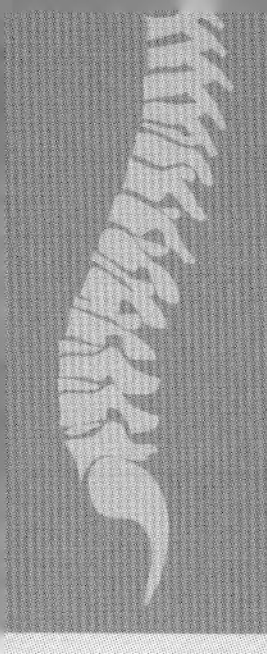

척추 및 척수의 장애평가

이상구, 이경석

대한민국에서 척추 장애 판정 기준은 매우 다양하며 그 적용기준도 제각기 달라 이를 판정하는데 많은 오류와 혼란이 나타나고 있다. 특히 법원이나 자동차 보험에서는 현재에도 맥브라이드식 척추장애 판정을 적용하고 생명보험 등에서는 AMA 방식을 응용한 기준을 사용하며 산재보험에서는 나름대로 산재 기준법을 적용하고 있다. 또한 국민연금법에서 적용하는 기준이 다르고, 국가의 장애인 등록을 하는 기준이 서로 다르다. 장애 정도를 적용하는 지표가 서로 달라 같은 정도의 장애라도 판정기준에 따라 장애 정도의 등급이 차이가 나게 되어 판정자나 피검자 모두 혼돈하게 되는 경우가 흔하다고 할 수 있다.

하지만 아직 우리나라에는 이를 통합할 만한 기준이 없어 척추장애평가를 할 경우 이 모든 것을 알아서 적용하여 판정할 수밖에는 없다. 최근에도 대한의학회에서 장애평가 기준안을 발표하였으나 현재까지 사용되고 있던 장애평가기준과 차이가 있어 이를 받아들이기에는 여러 가지 사회적 합의와 수렴이 수반되어야 하기 때문에 이를 활용하기에는 시일이 걸릴 수 있을 것이다. 하지만 대한의학회의 장애평가기준이 직업에 따른 장애율의 정도를 달리 산정한다고 하니

기대를 해 볼 만하다고 하겠다.

그러나 중요한 사실은 장애 평가가 과거에는 어느 한 항목에만 치중하던 것이 이제는 전체적인 면을 보고 장애를 평가하는데 관심이 많아진 것으로 향후 많은 과정을 거치면 합리적인 평가법이 제시될 수 있을 것으로 본다. 그러므로 우선 여기서는 현재까지의 여러 가지 척추장애 판정기준에 대해 알아보고자 한다.

1. 장애평가보고서의 역할

'장애평가보고서' 또는 '의료감정서'는 법적 판단을 공정하고 정확히 할 수 있도록 의학적 전문 지식이 없는 법관을 도와 의료와 관계되는 제반 문제점에 대한 의사의 전문 견해와 판단을 기록한 문서를 말한다. 따라서 의료감정이라는 것은 법관의 지식이나 판단 능력을 보충하는데 그 목적이 있으며 신체 감정은 손해배상 청구소송에 있어서 핵심적이며 기본적인 증거 방법이 되고 있다. 어떠한 경우에는 '장애진단서'란 말을 사용하여 일률적인 답을 요구하고 있는데 이는 잘못된 사항이며 개인의 장애정도에 대한 의학적인 평가를 나타내는 것으로 '장애평가보고서'가 바른 표현이라고 할 수 있다.

신체감정(身體鑑定)이란 어떠한 사실에 근거를 두고 자기의 전문 지식과 경험에 의한 의견과 판단을 표명하는 것으로 과거에 경험한 사실들을 보고하는 증언(證言)과는 본질적으로 다르다고 할 수 있다. 감정인에게는 대체성(代替性)이 있으며 증인에게는 대체성이 없는 것이 차이점이다.

감정은 일반 환자를 진료하는 것과 유사한 과정을 거치지만 치료 행위와는 다른 법률 행위이므로 환자를 진료하는 의사와는 다른 자세를 가져야 한다. 감정에 임하는 의사는 환자를 치료하는 입장과는 달리 객관적인 위치에서 판단을 내려야 한다. 환자의 권익을 옹호한다는 생각으로 주관적인 사항이 관여된다면 이는 감정에 임하는 의사로서 올바른 것이 아니다. 그러므로 감정인은 자신의 인생관이나 사상 등 주관적인 요소를 배제하고 객관적으로 받아드릴 수 있으며 과학적으로 입증되는 중립적이며 공정한 의견을 표명할 의무가 있는 것이다.

그리고 의료감정서는 의사를 위해 적는 것이 아니라 의사 아닌 사람들을 위해 기록하는 것이므로 의학적인 전문지식이 없는 사람이 쉽게 이해할 수 있도록 적어야 한다.

2. 감정인의 법률적 지위 및 자격

1) 감정인의 의무

법원의 의뢰에 의하여 감정인으로 채택된 사람은 법률상 감정의무가 있고(민사소송법 306조 1항) 감정인은 선서와 감정사항의 고지를 위하여 법원의 소환이 있으면 법정에 출석할 의무가 있다(민사소송법 305조, 281조). 감정인의 법원 출석문제에 관하여서는 법원의 실무상 업무가 바쁜 의료인의 입장을 고려하여 법원에 출석하지 않아도 되는 감정촉탁의 방법을 채택하는 경우가 많고 드물지만 법원 또는 당해 판사가 의료인의 근무 장소에 출장하여 선서를 받아 감정을 명하는 예도 있다. 감정인이 허위 감정을 한 경우에는 위증의 경우와 같이 5년 이하의 징역 또는 100만 원 이하의 벌금에 처할 수 있다.

2) 감정인의 결격사유와 기피신청

감정인의 친족, 호주, 가족이나 또는 이러한 관계가 있는 자에 관한 감정이거나 감정인 자신이나 그 친족, 호주, 가족이나 또는 이러한 관계가 있었던 자에게 현저한 이해관계가 있는 감정사항인 경우, 또는 감정인이 16세 미만이거나 선서의 취지를 이해하지 못하는 경우 등은 감정인의 '결격사유(缺格事由)'에 해당한다. '기피신청(忌避)'은 감정인이 성실히 감정할 수 없는 사정이 있는 때에는 당사자가 이를 기피할 수 있다.

3) 감정인의 자격

우리나라에는 감정의사의 자격을 별도로 언급한 규정이 없어 적어도 법적으로 보면 의사이면 누구나 어떠한 장애라도 감정할 자격이 있다. 그러나 현실적으로 신체감정에 대하여 따로 교육과정이 마련되어 있지 않으며 각각의 개개인의 경험과 문헌 자료 등에 의존하게 되어 신체감정내용에 적지 않은 차이를 보이게 된다. 따라서 하루 빨리 신체감정의 중요성을 인식하고 감정의 질(質)을 높일 수 있는 장치들이 마련되어야 할 것이다.

3. 의료감정서의 작성원칙

의료감정서는 목적이 뚜렷해야 하며(Clarification of purpose), 준비를 철저히 해야 하고(Complete preparation), 내용이 충실하고(Content), 대화가 충분해야(Communication) 한다. 이를 의료감정서 작성의 4 "C"라고 한다.

1) 의료감정서의 발행 목적(Clarification of purpose)

현재 우리나라에는 장애 평가 기준이 매우 다양하며 그 적용기준이 제각각 다르기 때문에 무엇을 위해 장애진단을 요구하는지 확인해야 한다. 구체적으로 교통사고 손해배상인지, 산업재해나 연금 등 보상을 받고자 함인지, 생명보험이나 상해보험 등 각종 보험 청구를 위함인지, 장애인 등록을 위한 진단인지, 또는 형사나 민사 혹은 가정소송을 위한 진단이지 그 발행목적을 명백히 확인하여야 한다. 각 의료감정서는 그 목적에 따라 나름대로 정해진 규칙을 따르기 때문에 목적에 맞는 서식을 이용할 수가 있다.

2) 철저한 준비(Complete Preparation)

의료감정서가 정확하고 객관적인 감정으로 평가받기 위해서는 자료에 대한 철저한 준비가 필요하다. 흔히 피감정인의 진료기록이나 장애 상태 등 의료에 관련된 자료에 집중되기 쉬운데 의료에 관련되지 않은 자료도 매우 중요한 자료가 되기도 한다. 피감정인의 현재의 직업은 물론 과거 직업이나 직업변경 여부, 직업 변경의 시기나 사유를 확인해 두고, 산재 보상과 관련된 기록이 없는지 확인하고, 각종 보험과 관련된 자료 등 비 의료적인 자료에 대해서도 준비를 해둔다.

또한 모든 적절한 의학적 또는 비의학적 문서들을 요청하고 반영하는 것이다. 일차 역할은 환자의 건강 상태를 전반적이고 정확하게 파악하는 것이며 지난 평가와 치료를 반영하는 의학기록에 기초하여 의학정보를 분석해야 한다. 과거와 현재의 의학적 상태를 알고 분석하고 평가하기 위해 적어도 그 의학적 상태가 시작되는 시점 이후의 모든 의학 기록, 보고서, 검사결과, 진단수기에 대해 알아야 한다. 이런 기록들을 누락하는 것은 장애 평가를 불완전하게 만들고 결론을 수용하는 데 위험이 따르게 된다. 따라서 장애 평가는 치료진이 제공한 기록들을 모두 반영해야 비로소 완전해지게 되며 임상 상태, 특히 최근의 결과의 차이들은 반드시 적용되어서 적절히 설명되어야 한다.

의료관련 자료는 병록을 비롯하여 각종 검사결과와 방사선학적 검사 결과를 꼼꼼히 챙겨보고, 감정에 필요한 핵심사항, 진찰소견, 치료일자 및 내용, 치료결과나 반응정도 등을 기록하여야 하며 중요기록은 복사해 둘 필요가 있다. 하지만 법원에서 의뢰한 경우가 아니면, 예를 들면 보험회사의 요청에 의한 감정일 경우에는 반드시 동의서(위임장)을 확보하여야 한다는 사실을 명심해야 할 것이다.

3) 감정서 내용에 충실(Content)

감정서에는 병력을 자세히 기록하고 증상의 양상 및 발병 경과, 처음 진료 당시의 검사소견 및 치료방법, 결과 그리고 현재의 증상 등을 자세히 기록하여야 한다. 진찰소견을 철저히 보고 내용을 빠짐없이 기록하지만 체계적으로 일관되도록 요약 정리하는 것이 좋다. 진찰을 할 때에는 불필요한 오해를 받지 않도록 해야 하며 의료감정을 위한 진찰은 치료를 목적으로 하는 진찰이 아니므로 수진자에게 어떤 종류이던 직접적인 충고를 삼가야 할 것이다. 이럴 경우 수진자를 의사와 환자와의 관계로 만들기 쉬워며 부적절한 충고는 수진자로 하여금 치료했던 의사를 불신하게 하거나 더 나아가 의료분쟁의 소지가 될 수 있기 때문이다. 조언이 필요하였다면 그 사실을 치료하였던 의사에게 알려주는 것이 좋을 것이다.

4) 원활한 의사소통(Communication)

장애 기록을 준비하는데 있어서 첫 번째 기준은 평가 목적에 맞는 감정서가 되어야 한다. 만약 의사가 자동차 사고에 의해 다친 환자의 장애 정도를 평가한다면, 평가의 목적은 환자의 전반적인 건강상태 및 사고의 영향에 초점을 맞추어 이루어질 것이다. 기반 자료가 평가에서 무엇을 기대하는지 이해하는 것이 평가자에게 중요한 만큼, 평가자를 필요한 재료로 적절하게 조절하는 것 또한 중요하다. 이 평가자의 역할 인식이 장애 평가가 성공적으로 이루어지기 위한 중요한 요소이다.

그리고 의료 감정서는 전문지식이 있어야 이해할 수 있는 내용을 의사가 아닌 사람들에게 설명해야 하는 것이므로 일반사람들이 충분히 이해할 수 있는 말로 가급적 설명을 해야 한다.

5) 장애(障碍)와 장해(障害) 용어의 정리

일반적으로 우리나라에서는 '장해'란 용어가 보편화 되어 있는데 이는 잘못된 용어라 할 수 있다. 장해를 한자로 쓰면 '障害'로 이는 '걸리적거려 해가 됨'을 뜻하며 장애란 한자어 표기가 '障碍'가 되어 '걸리적거리는 불편'을 뜻함이다.

'임광세'에 의하면 우리말로는 '장애'라는 말만 사용하여 왔으나 일본말이 들어오면서 법조계에서 '장해'란 용어를 그대로 들여옴으로써 대부분의 서식에서 장해란 용어를 쓰게 되었다고 한다. 하지만 '장해' 나 '장애' 모두 일본식 발음은 '쇼가이'로 동일하게 발음하게 되어 혼돈을 가져온 것이 아닌가 생각된다. 따라서 '걸리적거리는 불편'을 뜻하는 것으로 '장애'라고 표현하는 것이 적절하다고 할 수 있다.

4. 척추장애 판정 기준

1) 맥브라이드 척추장애 판정법

맥브라이드식 장애 평가 방법은 1937년 미국의 정형외과 의사인 McBride 박사가 제안한 장애평가법이다. 평가서가 나올 그 당시에는 매우 열악한 의료상황이었으며 진단방법이나 수술적 치료법이 불충분하고 다양하지 않은 조건에서도 전반적인 장애평가를 할 수 있는 평가서를 내었다는 데에 대단한 의미를 부여할 수 있을 것이다. 특히 척추분야에서는 현재의 수술법이나 치료효과에 대해서는 상상을 할 수 없었을 것이다. 그래서 맥브라이드식 장애 평가 방법은 AMA 방식보다 장애율에 있어 다소 높게 평가되어 있는 경우가 많다. 아쉽게도 맥브라이드식은 1963년 이후 개정이 되지 않고 이후 AMA 평가법 1판이 나오게 됨으로써 오래된 평가 방법이 되어 다른 나라에서나 대부분의 경우 이미 사용하고 있지 않다. 하지만 직업과 관련된 노동능력 상실을 염두에 두었고 일시적, 영구적인 장애를 다 포함할 수 있다는 것이 장점이기도 하며 운동 각도를 염두에 두지 않았다는 것으로 우리나라의 경우에서는 자동차 보험법이나 법원에서의 보상과 관련된 사항일 경우에는 아직도 많이 사용되어지고 있다. 따라서 비록 오래된 평가 안이지만 이러한 기준도 어느 정도는 판정기준을 파악하고 염두에 두어야 할 것이다.

(1) 맥브라이드 방식의 특징

맥브라이드 방식의 척추장애 평가는 경추, 흉추, 흉요추이행부, 요천추부로 구분되어 이에 따라 장애율을 다르게 산정하며 직업에 따른 계수를 적용하여 장애율의 증감이 있도록 한 것이 특징적이다. 대분류로 I. 척추골절, II. 척수손상동반, III. 척추체간 인대와 근막의 파열을 동반한 좌상 또는 염좌, IV. 천요 또는 요천증후군, V. 경추 또는 요추의 수핵증후군, VI. 만성 류머티즘 혹은 퇴행성 질환로 6분류되고 있다. 현재와 비교한다면 척추상병에 대해 비교적 다양한 분류를 하였으나 그 당시의 의료여건을 짐작해 본다면 이해가 가는 사항이다. 그리고 척수손상이 동반 II항에서는 뇌, 척수 항의 "운동실조항"을 적용하여 이를 비교 준용하거나 중추신경계의 기질적 질환인 IX항을 준용하도록 하고 있다. 또한 맥브라이드 장애평가가 일시적 장애 및 영구적 장애를 모두 포함하는 평가이지만 이를 명확이 구분하는 내용이 없는 관계로 현재 맥브라이드 장애평가를 하는 경우 자주 혼란을 초래하는 원인이 되고 있다.

또한 노동능력 상실에 대한 장애 인대나 근막의 파열로 인한 염좌에 대한 판정기준도 있는데 이는 단순한 염좌를 의미하는 것이 아니라 인대 손상 등이 뚜렷하게 있고 불안정 정도의 소견이 나타나는 경우를 말하는 것이므로 이를 단순 염좌에 적용하는 것은 무리라고 할 수 있다.

직업에 대한 장애율을 구분하고 있으나 현재의 직업과 맥브라이식 평가법이 나온 당시의 직업과는 너무나도 많은 차이가 있어 현재에는 법원에서도 옥내 근로자인 경우 직업항수 5, 옥외 근로자인 경우 직업항수 6을 적용하는데 척추장애평가에서는 옥내, 옥외 근로자 모두 항수 5를 적용하게 된다. 따라서 직업에 대한 고려는 특별히 할 필요가 없이 5항을 적용하면 되고 척수손상인 경우에도 옥내, 옥외 근로자 모두 직업항수 3항을 적용하면 되겠다.

(2) 맥브라이드식 척추장애 평가 기준 적용

① 척추 골절

척추골절의 정도에 따른 분류가 아니라 척추의 골절 시 회복 후에 잔존하는 통증 얼마나 제한을 주는가에 따른 분류이다. 척추의 골절인 경우에도 추체의 골절과 후궁이나 횡돌기 등 주위의 골절인 경우를 분류하였고 골절로 인한 장애 정도를 정상적인 상태에 제한이 있는 정도를 25, 50, 75%로 구분하여 장애율을 정하였다(표 01-I 항). 사실 최근의 장애평가에서는 후궁골절이나 횡돌기 골절인 경우에는 거의 장애를 인정하지 않을 정도의 상태가 되고 있으나 맥브라이드에서는 이를 인정하고 있어 간혹 의견차이를 나타내기도 한다. 그리고 척추의 손상 부위에 따라(경추, 흉추, 흉요추이행부, 요천추) 다르게 나타나고 있어 타당할 수는 있으나 제한 정도에 따른 객관적인 판정기준이 없어 판정자에 따라 오차가 크게 나타날 수가 있다. 그리고 정상상태의 25, 50, 75%까지 회복된 경우로 나누어 나타내고 있는데 이를 정확히 판단할 수 있는 방법은 없다. 간혹 이를 압박율이나 운동제한 정도에 알고 이를 적용하는 경우도 있는데 이것은 잘못 적용된 것으로 압박율이나 운동제한 정도만으로 하여서는 안될 것이다. 그리고 신경증상 없이 단순히 골절만으로는 정상인의 25% 정도까지의 회복으로 적용하는 것은 과도한 것으로 볼 수 있을 것이다.

대부분의 신경장애가 없는 경우 A항을 적용하는 경우가 많은데 이러할 경우 압박율의 정도가 10%나 50%나 장애율이 동일할 수 있어 그 정도에 따라 기존의 장애율에 1/2 적용, 혹은 1/3 적용을 하기도 한다.

② 척수손상을 동반하였을 경우

척수 손상을 동반하여 운동장애가 있는 경우에는 뇌, 척수 손상항의 운동실조항(Brain, Spinal cord III)을 적용하여 이를 나타낸다(표 01-II 항). 즉 마비의 정도를 적용하여 등급을 정하는 것으로 일반적으로 A등급은 경도의 마비 증세로 근력이 grade 4 정도로 경도의 보행에 장애가 있는 경우, B등급은 grade 3 정도로 뚜렷한 보행 장애가 있는 경우, C등급은 grade 2 정도로 심각한 보행제한이 있어 도움이 없이는 보행이 어려운 정도, D등급은 grade 1 혹은 0으로 보행이 불가한 경우에 해당되나 경우에 따라 다소 차이가 있을 수 있다. 하지만 각각의 등급간의 차이가 너무 심하게 나타나고 있어 이를 적용하는 데에도 논란이 많다. 이는 'M'cBride' 박사가 정형외과 전문의로 신경손상에 대한 장애 평가를 너무 간략하게 표현한데 있다고 하겠다. 즉 중도와 고도와의 두 등급간의 장애율 정도가 너무 많은 차이가 있어 A는 12%, B는 32%, C는 72%, D는 100%에 해당되며 B와 C가 무려 40% 차이가 나 이것이 가끔 논란의 대상이 되곤 한다. 이러할 경우에는 전체적인 면을 고려하여 B와 C의 중간, C와 D의 중간 정도로 평가하는 경우도 있다.

그리고 경우에 따라서는 중추신경 손상항의 중추신경계의 기질적 질환 IX항을 적용하기도 한다(표 01-IX 항). 어느 것을 적용하는가는 평가자에 따라 다르게 나타날 수 있는데 장애율의 차이가 많이 나므로 적절한 장애정도를 적용하여 평가하는 것이 필요하다.

③ 척추체간 인대와 근막의 파열을 동반한 좌상 또는 염좌 항

이것을 단순 염좌인 경우에 적용하여 이를 판정하는 경우가 있는데 사실적으로 단순한 염좌인 경우에는 엄밀히 말하면 장애가 남는다고 할 수 없다. 이러한 경우는 인대니 주위의 조직의 손상으로 인하여 불안정성이 나타나는 경우로 그 정도가 뚜렷한가 아니면 경도인가를 적용하는 것이 타당하다고 할 것이다. 즉 척추체와 관련된 인대의 손상이 동반된 경우에 적용하는 것으로 단순 염좌를 여기에 적용한다는 것은 잘못된 장애 판정으로 보아야 할 것이다(표 01-III

표 01. 맥브라이드 식 척추장애 평가율

I. 척추골절항(척수손상을 동반하지 않는 1 또는 2추체의 골절)

	경추부	흉추부 (T10)	흉요추부	요추부
A. 최종회복이 정상의 75%까지 회복				
1. 척추체골절	27	27	32	29
2. 후궁판골절	23	14	26	27
3. 횡돌기, 극돌기골절	18	23	26	24
B. 최종회복이 정상의 50%까지 회복				
1. 척추체골절	36	36	45	45
2. 후궁판골절	29	26	34	35
3. 횡돌기, 극돌기골절	26	27	31	29
C. 최종회복이 정상의 25%까지 회복				
1. 척추체골절	57	55	70	70
2. 후궁판골절	43	42	53	50
3. 횡돌기, 극돌기골절	35	36	41	40

II. 척수손상을 수반한 골절 ; 두부. 뇌. 척수손상항(신경마비 부분)을 참조

실조운동성, 하반신 마비성 (직업항수 3항적용)	장애율
A. 경도의 주기적 발작	12
B. 중등도, 지속적	32
C. 모든 운동에 있어서 중증	72
D. 극도의 중증 : 모든운동이 불확실, 두다리의 마비	100

III. 좌상 또는 염좌, 척추인대 및 근막의 단열을 수반함

	경추부	흉추부	요추부	요천추부	천장부
A. 최종회복이 정상의 75%까지 회복	14	14	24	24	29
B. 최종회복이 정상의 50%까지 회복	25	25	30	.	30

IX. 중추신경계의 기질적 질환 ; 두부. 뇌. 척수손상항(직업항수 3 적용) (부전마비, 다발성경화증, 척수공동증, 진행성 근위축증,척수농양, 척수종양 등)

중추신경계의 기질적 질환	장애율
A. 운동신경, 감각신경 또는 사회적 직업적 환경에 대한 정신적 적응력 장애없음	0
B. 사회적 또는 직업적 환경에 대한 적응력의 명백한 감소	
1. 경도의 운동신경.감각신경 장애	12
2. 중등도의 운동신경. 감각신경장애	27
3. 고도의 운동신경.감각신경 장애	52
4. 극도의 운동신경.감각신경 장애	100

V. 경추 또는 요추의 수핵 증후군

경추 또는 요추의 수핵탈출증후군	장애율
A. 반복적 동통이 안정 또는 견인 고정으로 완화	23
B. 중증, 수술 필요	30
C. 수술한 경우 : 후유증이나 강직 잔존	운동장애율 적용
D. 수술한 경우	
1. 척추유합술을 시행하지 않은 경우	
a. 동통 충분히 개선, 6개월 후 재발 없음. 일상운동 다시 시작	0
b. 6개월 후에 완고한 동통, 무거운 물건 들면 증상 악화, 중노동 불가	24
c. 6개월 후에 완고한 동통 재발, 직업변경 필요	35
2. 척추유합술을 시행한 경우	
a. X선 촬영으로 요천추유합술입증, 신체장애 없음	14
b. X선 촬영으로 제4-5 요추 유합술 입증, 신체장애 없음.	24
c. 제4-5 요추, 1천추 가관절로 수술하지 않음, 노동가능, 경도 증상	33
d. 제4-5 요추, 1천추 가관절, 증상 중증, 기능전폐 혹은 일부 직업 가능	43

항). 하지만 아쉽게도 이를 적용하는 사태가 만연하여졌으며 이미 돌이킬 수 없을 정도의 상태에 다다른 것으로 생각된다. 더더군다나 한시적인 장애 기간이라는 이상한 용어가 등장하게 된 것도 이와 무관하지 않다고 하겠다.

④ 천요 또는 요천증후군(sacroiliac or lumbosacral syndrome)인 경우

사실적으로 이 항을 적용하기에는 무리가 있으며 거의 적용하지 않고 있다.

⑤ 경추 또는 요추의 수핵증후군(표 01-V 항)

가장 많이 응용되는 항목이며 판정자에 따라 각각 적용범위나 기준에 차이가 있는 것이 사실이다. 이것은 과거 50년 이전의 기준을 가지고 현재에 와서 이를 무리하게 적용하는데 문제가 있는 것으로 생각된다. 그 이유는 과거에는 척추 수술이 기구고정 수술이 거의 없었지만 현재에는 다양한 수술방법이 나타나고 있으며 수술적 치료 예후도 많이 좋아져 전과 동일하게 평가하는데에는 무리가 있다고 하겠다. 특히 과거에는 경추 수술은 매우 위험도가 많은 수술이었으며 수술도 매우 드물어 이를 평가하는 데 누락되어 있어 이를 적용하는데 뚜렷한 기준이 없는 상태이므로 경추와 요추부의 부위에 같이 사용되고 있는 경우가 일반적이라고 할 수 있다.

A항인 경우에는 보존적 요법으로 치료하였으나 증상이 잔존하는 경우이고 B항인 경우에는 중증으로 수술적 치료가 요구되는 상태에 해당되며 C항인 경우에는 수술적 치료를 시행한 후 강직인 경우에 이를 적용하는데 이는 강직을 증명할 만한 사항이 객관적으로 찾기 어려우며 단순히 움직이지 못한다는 것만으로 판정이 어려우므로 적용하지 않는 경우가 많다. 오히려 D항을 적용하는 경우가

많다.

D항인 경우에는 수술적인 치료를 시행한 경우로 가장 많이 적용되는 항이라고 할 수 있다. 하지만 객관적으로 판정되는 기준이 없어 다양한 평가로 나타나게 된다.

일반적으로 D-1항은 단순 추간판제거술을 시행한 경우에 적용하며 D-2항은 고정술이나 유합술을 시행한 경우를 적용하고 있다.

그리고 D항에서도 제4-5 요추간, 제4-5 요추-1천추간으로 구분이 있으나 이를 그대로 적용하기에는 무리가 있으므로 유합술이 된 경우에 존재하는 장애정도에 따라 전체 혹은 1/2 이나 1/3 정도를 부분적으로 적절히 적용하는 것이 좋을 것으로 본다.

⑥ 만성 류머티즘 혹은 퇴행성 질환

과거에는 척추에 치료나 생체역학적인 개념이 부족한 경우에 나온 장애 판정기준으로 생각된다. 경우에 따라 척추 고정술인 경우 강직으로 이를 여기 항목에 적용하는 경우가 있는 데 이는 적절치 못한 것으로 생각된다. 따라서 이를 적용하는 경우는 거의 없을 것이다.

⑦ 직업계수 적용

맥브라이드 방식에서 가장 돋보이는 장애 판정 중의 하나가 직업계수를 적용한 것인데 아쉽게도 현재 시기와는 거의 관련이 적은 직업이 대부분이며 이를 적용하기 어려운 경우가 많다. 따라서 이를 직업항수에 직접 적용하기는 적절하지가 않으므로 옥내 근로자는 직업항수 5에 적용하고 옥외 근로자는 직업항수 6에 적용하는 것이 일반적인 경향으로 볼 수 있다. 하지만 척추인 경우에는 옥내 근로자나 옥외 근로자 모두 직업항수 5항에 해당되며 중추신경계항에서는 옥내 근로자는 직업항수 5, 옥외근로자는 직업항수 6을 적용하며 신경손상인 경우(특히 말초신경등) 에는 직업항수 3은 3항을 적용하면 될 것이다.

⑧ 맥브라이드식과 AMA 방식의 차이점

AMA 방식은 영구적인 장애를 나타내는 것이며 신체적인 장애율을 나타내고 있어 아무리 장애 정도가 커도 100%가 나오지 않는다. 하지만 맥브라이드 방식은 영구적 혹은 일시적 장애를 나타내는 것이며 장애 정도가 노동능력의 상실 정도를 반영한 것이므로 신체적인 장애 정도보다는 노동 가능 능력의 정도를 나타내는 것으로 100% 장애가 나올 수 있는 것이다. 이것 때문에 법원에서는 노동능력 여부를 적용할 필요가 있어 비록 오래된 장애판정이며 불합리한 적용이 많다고 하더라도 이를 사용하는 이유가 되는 것이다.

2) 생명 보험에서의 척추장애 판정

생명보험에서는 장애평가 판정기준이 여러 차례 변경이 있었다. 크게 3차례 변경이 있었는데 (1) 77년부터 99년까지, (2) 99년부터 2005년 4월, (3) 최근 2005년 5월 1일 이후의 판정기준으로 나누어진다. 과거의 기준에는 단순히 척추의 운동범위 각도로 측정하는 것이 많았으나 최근 판정 기준을 보면 운동각도 범위 제한을 배제하는 경향이 두드러지고 있다. 하지만 보험가입 당시 장애기준에 따른 판정을 요구하는 경우가 있으므로 척추의 운동범위 각도를 원하는 경우도 있어 운동범위를 직접 측정해야 하는 경우도 있다. 운동각도의 측정은 이미 그 타당성이 매우 떨어지는 측정방법으로 불용론을 주장하는 이도 많지만 아직까지는 이를 적용하려고 하는 경우도 있어 운동범위를 기록을 해야 하는 경우도 있다.

장애평가기준은 현재는 가입시점을 기준으로 하기 때문에 가입된 시기에 따라 장애평가기준이 달라질 수 있다. 하지만 보험사에서 새로운 장애평가 기준안을 자주 마련하고 있기 때문에 척추학 3판이 나간 이후에도 다시 변경된 새로운 장애평가안이 나올 수 도 있을 것이다.

(1) 2005년 5월 1일 이후 최근의 척추장애 판정기준

① 척추 장애판정기준 세부사항(표 02)

i) 척추(등뼈)는 경추(목뼈) 이하를 모두 동일부위로 하고 있다.

ii) 척추(등뼈)의 장해는 퇴행성 기왕증 병변과 사고가 그 증상을 악화시킨 부분만큼, 즉 본 사고와의 관여도를 산정하여 평가하고 있다.

iii) 심한 운동장해는 척추체(척추뼈 몸통)에 골절 또는 탈구로 인하여 4개 이상의 척추체(척추뼈 몸통)를 유합 또는 고정한 상태(3구간을 고정)를 말한다.

iv) 뚜렷한 운동장해는

a. 3개의 척추체를 유합 또는 고정한 상태(2구간 고정)이고

b. 머리뼈와 상위경추(상위목뼈 : 제1, 2 목뼈)간의 뚜렷한 이상전위가 있을 때를 말한다.

v) 약간의 운동장해는 2개의 척추체를 유합 또는 고정한 상태(1구간 고정)이다.

vi) 심한 기형은 척추의 골절 또는 탈구 등으로 인하여 35도 이상의 전만증 및 척추후만증(척추가 뒤로 휘어지는 증상) 또는 20도 이상의 척추측만증(척추가 옆으로 휘어지는 증상) 변형이 있을 때를 말한다.

표 02. **척추 장애의 분류표 (2005년 이후 기준)**

장애의 분류	지급률
1) 척추(등뼈)에 심한 운동장해를 남긴 때	40
2) 척추(등뼈)에 뚜렷한 운동장해를 남긴 때	30
3) 척추(등뼈)에 약간의 운동장해를 남긴 때	10
4) 척추(등뼈)에 심한 기형을 남긴 때	50
5) 척추(등뼈)에 뚜렷한 기형 을 남긴 때	30
6) 척추(등뼈)에 약간의 기형을 남긴 때	15
7) 심한 추간판탈출증(속칭 디스크)	20
8) 뚜렷한 추간판탈출증(속칭 디스크)	15
9) 약간의 추간판탈출증(속칭 디스크)	10

vii) 뚜렷한 기형은 15도 이상의 전만증 및 척추후만증 또는 10도 이상의 척추측만증 변형이 있을 때이다.

viii) 약간의 기형은 1개 이상의 척추의 골절 또는 탈구로 인하여 경도(가벼운 정도)의 전만증 및 척추후만증 또는 척추측만증 변형이 있을 때로 정하고 있다.

ix) 심한 추간판탈출증은 추간판을 2마디 이상 수술하거나 하나의 추간판이라도 2회 이상 수술하고, 마미신경 증후군이 발생하여 하지의 현저한 마비 또는 대소변의 장해가 있는 경우에 해당된다.

x) 뚜렷한 추간판탈출증은 추간판 1마디를 수술하여 신경증상이 뚜렷하고 특수 보조검사에서 이상이 있으며, 척추신경근의 불완전 마비가 인정되는 경우에 해당된다.

xi) 약간의 추간판탈출증은 특수검사(뇌전산화단층촬영(CT), 자기공명영상(MRI) 등)에서 추간판 병변이 확인되고 의학적으로 인정할 만한 하지방사통(주변 부위로 뻗치는 증상) 또는 감각 이상이 있는 경우이다.

xii) 추간판탈출증(속칭 디스크)으로 진단된 경우에는 수술여부 에 관계없이 운동장해 및 기형장해로 않고 있다.

(2) 99년 2월 1일 ~ 2005년 4월 30일까지의 생명보험 척추장애 평가 기준

1999-2005년 척추장애 평가기준

제3급 9항	척추에 고도의 기형 또는 고도의 운동장해를 영구히 남겼을 때(추간판탈출증은 제외)
제4급 15항 16항	척추에 중도의 기형 또는 중도의 운동장해를 영구히 남겼을 때 고도의 추간판 탈출증
제5급 14항 16항	척추에 경도의 기형 또는 경도의 운동장해를 영구히 남겼을 때(추간판탈출증은 제외) 중도의 추간판 탈출증
제6급 14항	경도의 추간판 탈출증

① "척추의 뚜렷한 기형 또는 운동 장해"에 대한 세부사항

i) "척추의 고도의 기형"은 엑스선 사진에 명백한 척추의 골절등으로 인하여 35도 이상의 후만증 또는 20도 이상의 측만(側灣) 변형이 있는 자를 말한다.

ii) "척추의 중도의 기형"은 15도 이상의 후만증 또는 10도 이상의 측만(側灣) 변형이 있는 자, 압박골절이 추체 높이 50% 이상인 자 또는 척추에 엑스선상 불안정성이 확실한 자를 말한다.

iii) "척추의 경도의 기형"은 척추의 골절 등으로 인하여 나체상태에서 후만증 또는 측만변형이 있는 자를 말한다.

iv) "척추의 고도의 운동장해"는 경추, 흉추 또는 요추 중 어느 한 척추에 대해서 둘 이상의 운동종류가 각각 정상 운동범위의 1/4 이하로 제한되는 경우를 말한다. 이 때 둘 이상의 운

동종류의 범위는 AMA의 영구적 신체장해 평가지침의 각 척추 운동의 종류에 따른 범위를 말한다.

v) "척추의 중도의 운동장해"는 둘 이상의 운동종류가 각각 정상 운동범위의 1/2 이하로 제한된 경우를 말한다.

vi) "척추의 경도의 운동장해"는 둘 이상의 운동종류가 각각 정상 운동범위의의 3/4 이하로 제한된 경우를 말한다.

② "추간판탈출증(신설)"에 대한 사항

추간판탈출증, 팽윤, 파열 등은 의학적 임상증상과 특수검사(CT, MRI, 근전도 등) 소견이 일치하는 경우 그 증상을 인정하며, 수술여부에 관계없이 운동장해는 인정하지 않고, 후유증상의 정도에 따라 다음과 같이 구분한다.

i) "고도의 추간판탈출증"은 2개 이상의 추체간에 추간판탈출증에 대한 수술을 하거나 하나의 추간판이라도 재수술을 하여 후유증상이 뚜렷한 경우

ii) "중도의 추간판탈출증"은

a. 근위축 또는 근력약화와 같은 임상소견이 뚜렷하고, 특수보조검사에서 이상이 있으며, 척추신경근의 불완전마비가 인정되는 경우,

b. 신경마비로 인하여 사지에 경도의 단마비가 있을 경우. 이 경우 복합된 척추 신경근의 완전마비가 있는 경우에는 신경계통의 기능 장해정도에 따라 등급을 결정한다.

iii) "경도의 추간판탈출증"는 감각이상·요통·방사통 등의 자각증세가 있고 하지직거상 검사에 의한 양성소견이 있는 경우이다.

(3) 76년 7월 1일 ~ 99년 1월 30일까지의 생명보험 척추장애 판정 분류

1999년 이전 척추장애평가 기준

제3급 9항	척추에 뚜렷한 기형 또는 심함 운동장해를 영구히 남겼을 때
제4급 15항	척추에 뚜렷한 운동장해를 영구히 남겼을 때
제5급 14항	척추에 운동장해를 영구히 남겼을 때

① 척추의 뚜렷한 기형 또는 운동장해에 대한 세부사항

i) 척추의 뚜렷한 기형은 통상의 의복을 착용하여도 외부로부터 보아 확실히 알 수 있는 정도 이상의 것을 말 한다.

ii) 척추의 심한 운동장해는 목뼈 또는 가슴등뼈 이하가 전후 굽히기, 좌우 굽히기 및 좌우회전 운동 중 2종류 이상의 운동이 생리적 범위의 1/4 이하로 제한 되는 경우를 말한다.

iii) 척추의 뚜렷한 장해는 목뼈 또는 2종류 이상의 운동이 생리적 범위의 1/2 이하로 제한 되는 경우를 말한다.

iv) 척추의 운동장해는 2종류 이상의 운동이 생리적 범위의 3/4 이하로 제한 되는 경우를 말한다.

(4) 생명 보험사의 척추장애 판정의 문제점

① 척추를 하나로 보고 경추와 요추로 구분하지 않는 것이다. 현재의 모든 장애 평가기준에서는 경추, 흉추, 요추 부분으로 구분하고 있다.

② 추간판에 대한 최근의 판정방법에 마미신경 증후군이 발생하여 하지의 현저한 마비 또는 대소변의 장해가 있는 경우를 들고 있는데 이는 매우 드물게 나타나는 합병증이며 이러할 경

우 심각한 장애 상태가 나타난다. 하지만 이에 대한 장애평가는 매우 저평가 되고 있는 사항이다. 또한 요추부 추간판탈출증에 대해서 주로 기술되어 있어, 경추 추간판탈출증인 경우에는 이를 적용하기 모호한 것도 사실이다. 그리고 마비에 대한 정의가 매우 모호한 것이 사실이며 저평가되고 있는 사항이다.

③ 척추장애 발생 시에 사고와의 관여 정도를 따지고 있는 경향이다. 사실 엄밀히 말하면 보험은 서로간의 계약관계이므로 병명이 발생하였을 때에는 관여도와 상관없이 보상을 해 주어야 하는 것이 마땅하지만 이를 보험사 나름대로 적용하는 경우가 많으므로 관여도를 요구하는 경우가 점차 증가하고 있다. 따라서 이에 대한 명확한 내용이 가입자와 소비자 보호원과 보험사간에 협조가 이루어져야 할 것이다.

④ 운동각도에 대한 정상적인 범위를 다른 평가법과는 다르게 하고 있는 점이다. 이는 뒤에서 다시 언급하였으므로 참고하길 바란다.

3) 장애인 복지법에 의한 장애평가 방법

장애인 복지법에서의 척추장애 평가 등급은 주로 운동제한의 정도로 평가하고 있으나 이는 직접적인 운동각도를 측정하는 것이 아니라 산재 보험법에서 적용하는 'Panjabi'의 척추 운동 분절의 운동각도를 응용하며 신전굴곡인경우만 적용 운동각도의 제한을 확인하고 있다(표 03). 따라서 골유합이나 고정수술을 시행 한 경우에만 장애평가 대상이 되는 것이다. 운동제한이 아니라 신경증상으로 마비증상이 있는 경우에는 척추장애인 경우 상 하지 기능장애를 적용하도록 되어 있으나 척수손상인 경우에는 매우 불리한 것도 사실이다. 만약 완전마비가 있는 경우라면 장애평가에 별다른 문제가 없으나 불완전 마비인 경우에는 상하지 기능장애로 적용하는 경우 훨씬 불리하게 적용이 될 수 있기 때문이다. 하지만 아직 척수손상인 경우 중추신경 장애로 평가하지 않고 있어 이는 추후 추가적인 보완이 필요한 항목이라 할 수 있다. 척추장애 평가 방법은 그 평가 내용이 여러 차례 보완을 하며 개정되어 왔다. 아마도 앞으로도 보완 수정될 것으로 보인다. 현재의 평가 기준은 신경증상에 따른 평가가 아니므로 불합리한 측면도 있으나 장애등급을 평가하는데 따르는 잡음을 줄일 수 있는 효과도 있다고 할 것이다. 또한 최근에는 평가자가 직접 장애 등급을 평가하는 것이 아니라 진단서를 작성하여 제출하면 국민연금공단에서 이를 심사 평가하도록 하고 있다

(1) 척추장애의 분류

척추장애분류는 신체적 장애에서도 외부 신체기능장애로 분류되고 소분류로는 지체장애에 해당된다. 지체장애는 절단장애, 관절장애, 지체기능장애(팔, 다리, 척추장애), 변형장애 등으로 나누어진다.

표 03. **장애인복지법 척추장애평가**

경추부	후두-1경추	1-2경추	2-3경추	3-4경추	4-5경추	5-6경추	6-7경추	7경추-1흉추	계
운동범위	13	10	8	13	12	17	16	6	95
흉요추부	10-11흉추	11-12흉추	12흉추-1요추	1-2요추	2-3요추	3-4요추	4-5요추	5요추-1천추	계
운동범위	9	12	12	12	14	15	17	20	111

(2) 척추장애의 판정시기

장애의 원인 질환 등에 관하여 충분히 치료하여 장애가 고착되었을 때 등록하며, 그 기준시기는 원인 질환 또는 부상 등의 발생 후 또는 수술 후 6개월 이상 지속적으로 치료한 후로 한다(지체절단, 척추고정술 등 장애상태의 고착이 명백한 경우는 예외로 하고 있으나 골유합이 어느 정도 일어난다고 본다면 6개월 이후가 적절할 것이다).

(3) 판정개요

- 척추병변은 단순 X-선촬영, CT, MRI, 근전도 등 특수검사 소견과 수술부위 및 수술종류를 확인해야 한다.
- 척추분절에 운동을 허용하도록 고안된 인공 디스크삽입술, 연성고정술, 와이어고정술은 고정된 분절로 보지 않는다.
- 강직성 척추질환(강직성 척추염 등)의 경우 방사선 검사상 부위가 명확하여야 하며 천장관절 소견은 따로 고려하지 않는다. 하지 또는 상지의 관절 장애를 함께 가지고 있는 경우에는 별도로 판정한다.
  - 완전강직은 방사선 사진상 경추부, 흉추부 또는 요추부의 완전유합이 확인되고, 해당 척추 부위의 운동가능범위(경추부 340도, 흉·요추부 240도)의 90% 이상 감소된 경우를 말한다.
- 척추는 장애부위에 따라 경부(경추)와 체간(흉·요추)으로 나눈다.
  - 골유합술 등으로 고정된 분절은 그 분절의 운동기능을 모두 상실한 것으로 보고, 고정된 분절 이외의 분절은 운동기능을 정상으로 보아서 산출한다.

표 04. **장애인 복지법 평가 기준**

장애등급	장애정도
2급5호	- 경추와 흉요추의 운동범위가 정상의 4/5 이상 감소된 사람
2급6호	- 강직성 척추질환으로 경추와 흉추 및 요추가 완전강직된 사람
3급1호	- 경추 또는 흉 · 요추의 운동범위가 정상의 4/5 이상 감소된 사람
4급1호	- 경추 또는 흉 · 요추의 운동범위가 정상의 3/5 이상 감소된 사람
5급8호	- 경추 또는 흉 · 요추의 운동범위가 정상의 2/5 이상 감소된 사람
5급9호	- 강직성 척추질환으로 경추와 흉추 또는 흉추와 요추가 완전강직된 사람
6급5호	- 경추 또는 흉 · 요추의 운동범위가 정상의 1/5 이상 감소된 사람
6급6호	- 강직성 척추질환으로 경추 또는 요추가 완전강직된 사람

상 하지 기능장애 판정개요

① 마비에 의한 팔, 다리의 기능장애는 주로 척수 또는 말초신경계의 손상이나 근육병증 등으로 운동기능장애가 있는 경우로서, 감각손실 또는 통증에 의한 장애는 포함하지 아니한다.

② 마비에 의하는 때에는 근력이 어느 정도 남아 있지만 기능적이 되지 못할 정도(근력 검사상 Fair 이하)이어야 한다.

③ 근력은 주로 도수근력검사(Manual Muscle Test)로 측정하며, 근력은 Normal (5), Good (4), Fair (3), Poor (2), Trace (1), Zero (0)로 구분한다.

④ 팔, 다리의 기능장애판정은 근력 측정치를 판정자료로 활용하여 판단한다.

⑤ 이학적 검사 이외의 장애판정에 근거가 되는 영상의학 검사나 근전도 검사 소견이 있어야 한다.

⑥ 척수장애의 판정은 척수의 외상 또는 질환에 의하여 척수가 손상된 경우를 대상으로 한다(척수원추(conus medullaris)와 마미(cauda equina)의 손상을 포함한다). 따라서 추간판 탈출증, 척추협착증 등으로 인한 신경근 병증에서 나타나는 마비는 해당되지 않는다.

⑦ 척수장애는 최초 판정일로부터 2년 후에 반드시 재판정을 하여야 한다.소아인 경우에는 다르므로 확인이 필요하다(만 18세 이상의 경우).

⑧ 척수병변(질환)은 CT, MRI, SPECT, PET 등으로 확인되고, 신경학적인 결손을 보이는 부위와 검사소견이 서로 일치하여야 한다.

표 05. **장애인복지법 평가기준**

장애등급	장애정도
1급1호	- 두 팔을 완전마비로 전혀 움직일 수 없는 사람(근력등급 0, 1)
2급1호	- 한 팔을 완전마비로 전혀 움직일 수 없는 사람(근력등급 0, 1)
2급2호	- 두 팔을 마비로 겨우 움직일 수 있는 사람(근력등급 2)
2급3호	- 두 손의 모든 손가락을 완전마비로 전혀 움직이지 못하는 사람 (근력등급 0, 1)
3급1호	- 두 팔을 마비로 기능적이지는 않지만 어느 정도 움직일 수 있는 사람 (근력등급 3)
3급2호	- 두 손의 엄지손가락과 둘째손가락을 각각 완전마비로 전혀 움직일 수 없는 사람(근력등급 0, 1)
3급3호	- 한 손의 모든 손가락을 완전마비로 각각 전혀 움직일 수 없는 사람 (근력등급 0, 1)
3급4호	- 한 팔을 마비로 겨우 움직일 수 있는 사람(근력등급 2)
4급1호	- 두 손의 엄지손가락을 완전마비로 각각 전혀 움직이지 못하는 사람 (근력등급 0, 1)

4급2호	- 한 손의 엄지손가락과 둘째손가락을 완전마비로 각각 전혀 움직일 수 없는 사람(근력등급 0, 1)
4급3호	- 한 손의 엄지손가락 또는 둘째손가락을 포함하여 3개의 손가락을 완전마비로 각각 전혀 움직일 수 없는 사람(근력등급 0, 1)
4급4호	- 한 손의 엄지손가락이나 둘째손가락을 포함하여 4개의 손가락을 마비로 각각 기능적이지는 않지만 어느정도 움직일 수 있는 사람(근력등급 3)
5급1호	- 한 팔을 마비로 기능적이지는 않지만 어느 정도 움직일 수 있는 사람(근력등급 3)
5급2호	- 두 손의 엄지손가락을 마비로 각각 기능적이지는 않지만 어느정도 움직일 수 있는 사람(근력등급 3)
5급3호	- 한 손의 엄지손가락을 완전마비로 전혀 움직일 수 없는 사람(근력등급 0, 1)
5급4호	- 한 손의 엄지손가락과 둘째손가락을 마비로 각각 기능적 이지는 않지만 어느정도 움직일 수 있는 사람(근력등급 3)
5급5호	- 한 손의 엄지손가락 또는 둘째손가락을 포함하여 3개의 손가락을 마비로 각각 기능적이지는 않지만 어느정도 움직일 수 있는 사람(근력등급 3)
6급1호	- 한 손의 엄지손가락을 마비로 기능적이지는 않지만 어느정도 움직일 수 있는 사람(근력등급 3)
6급2호	- 한 손의 둘째손가락을 포함하여 2개 손가락을 완전마비로 각각 전혀 움직이지 못하는 사람(근력등급 0, 1)
6급3호	- 한 손의 엄지손가락을 포함하여 2개의 손가락을 마비로 기능적이지는 않지만 어느정도 움직일 수 있는 사람(근력 등급 3)
6급4호	- 한 손의 셋째 손가락, 넷째 손가락 그리고 다섯째 손가락 모두를 완전마비로 각각 전혀 움직이지 못하는 사람(근력 등급 0, 1)

표 06. **장애인복지법 평가기준**

장애등급	장애정도
1급2호	- 두 다리를 완전마비로 각각 전혀 움직일 수 없는 사람(근력 등급 0, 1)
2급4호	- 두 다리를 마비로 각각 겨우 움직일 수 있는 사람(근력등급 2)
3급5호	- 한 다리를 완전마비로 전혀 움직일 수 없는 사람(근력등급 0, 1)
4급1호	- 두 다리를 마비로 기능적이지는 않지만 어느 정도 움직일 수 있는 사람 (근력등급 3)
4급5호	- 한 다리를 마비로 겨우 움직일 수 있는 사람(근력등급 2)
5급6호	- 한 다리를 마비로 기능적이지는 않지만 어느 정도 움직일 수 있는 사람 (근력등급 3)
5급7호	- 두 발의 모든 발가락을 완전마비로 각각 전혀 움직일 수 없는 사람 (근력등급 0, 1)

(4) 변형 등의 장애(장애인복지법 변형 평가기준)

〈장애등급기준〉

장애등급	장애정도
5급1호	- 한 다리가 건강한 다리보다 10 cm 이상 또는 건강한 다리의 길이의 10분의 1 이상 짧은 사람
6급1호	- 한 다리가 건강한 다리보다 5 cm 이상 또는 건강한 다리의 길이의 15분의 1 이상 짧은 사람
6급2호	- 척추측만증이 있으며, 만곡각도가 40도 이상인 사람
6급3호	- 척추후만증이 있으며, 만곡각도가 60도 이상인 사람
6급4호	- 성장이 멈춘 만 18세 이상의 남성으로서 신장이 145 cm 이하인 사람
6급5호	- 성장이 멈춘 만 16세 이상의 여성으로서 신장이 140 cm 이하인 사람
6급6호	- 연골무형성증으로 왜소증에 대한 증상이 뚜렷한 사람. 다만 이 경우는 만 2세 이상에서 적용 가능

※ 다리길이의 단축은 반드시 영상의학 검사소견에 의하여 정상측 길이와 비교하여 결정한다.

※ 척추의 만곡 정도는 반드시 X-선 촬영 등의 영상의학 검사소견에 의하여 만곡각도를 측정하여야 한다.

(5) 장애인 등록 판정에 대한 문제점

장애인 등록 판정에서는 유합된 상태에서 유합된 부위만으로 장애평가를 하고 있어 고정부위가 많을 수록 유리한 등급을 받도록 되어 있다. 즉 수술적 치료를 시행하지 못하거나 수술적 치료가 불가능한 경우에는 척추에 관련된 장애평가를 할 수 없도록 되어 있다. 또한 제1-2의 경추부의 고정술인 경우에는 가장 중요한 경추부의 회전 운동제한이 가장 크지만 장애등급은 나오지 않는 경우가 나타나게 된다. 그리고 신경마비의 장애가 있는 경우는 매우 불리한 평가를 받도록 되어 있으며 이를 증명하기 위한 절차가 까다롭게 되어 있다. 하나의 불완전한 척수장애는 중추신경 손상에 의한 복합적인 장애이므로 또한 척수장애시 상, 하지 기능장애뿐만 아니라 배뇨, 배변장애가 동반되는 경우가 동반되기도 하며 심한 통증장애가 동반되어 다른 장애에 비해 등급 판정시에 불리하게 작용할 수 있어 척수손상인 경우에는 비합리적인 평가가 되고 있다. 따라서 이도 추후에 다시 개정보완이 되어야 할 부분이다.

4) 국민연금법 척추의 장애 판정

국민연금법에 의한 장애 판정은 1급부터 4급까지 나누어져 있으며 장애기록 서식용지가 따로 구분되어 있으며 장애 정도는 각 자문의에 의해 판정이 되므로 장애 등급을 표시할 필요는 없다. 다만 척추의 압박율, 근전도 소견, 수술일, 수술 내용, 신경장애 소견 등을 기록하도록 하고 있고 여러 가지 자료 등을 제출하도록 하고 있다.

표 07. **A표 : 척추부위별 운동제한범위 기준표**

척추 부위	운동영역 정상범위	운동기능 제한범위		
		2급 (4/5 이상)	3급 (2/3 이상)	4급 (1/3 이상)
경추	95	76 이상	63 이상	31 이상
흉추(T10-T12) 요추	111	88 이상	74 이상	37 이상
요추	90	72 이상	60 이상	30 이상

(1) 장해등급 구분의 기준

(2) 세부인정 사항(국연금법 척추장애 기준)

장애등급	장애정도
2급4호	○ 척추의 기능에 고도의 장애가 남은 자 - 방사선 사진상 명백한 척추병변으로 골유합술 또는 고정술을 시행하여 경추부 또는 요추부의 운동기능이 4/5 이상 제한된 자
3급4호	○ 척추의 기능에 중등도의 장애가 남은 자 - 방사선사진상 명백한 척추병변으로 골유합술 또는 고정술을 시행하여 경추부 또는 요추부의 운동기능이 2/3 이상 제한된 자 - 강직성척추염으로 경추부와 요추부가 완전 강직된 자
4급4호	○ 척추에 기능장애가 남은 자 - 방사선사진상 명백한 척추병변에 의하여 60도 이상의 구배 또는 40도 이상의 측만 변형이 인정되는 자 - 방사선사진상 명백한 척추병변으로 골유합술 또는 고정술을 시행하여 경추부 또는 요추부의 운동기능이 1/3 이상 제한된 자 - 강직성척추염으로 경추부 또는 요추부가 완전 강직된 자

① 척추의 장애는 변형장애와 기능장애로 구분하고 기능장애는 수술시행 여부와 수술부위 및 CT, MRI, 근전도 등 특수검사 결과를 확인하여 판단한다.

② 척추의 운동기능에 따른 장애등급은 표 07에 의거 판정하고, 척추부위별 운동기능 제한 범위는 표 08에 따라 고정된 각 척추분절의 운동기능의 합으로 결정한다.

i) 골유합술 등으로 고정된 분절은 그 분절의 운동기능을 모두 상실한 것으로 보고, 고정된 분절 이외의 분절은 운동기능을 정상으로 보아서 산출한다.

ii) 흉추부의 T10~T12 구간 중 한분절 이상 고정술을 시행한 경우 요추부의 운동기능장애에 합산하여 인정한다(표 07).

③ "명백한 척추병변"이라 함은 임상증상과 특수검사(CT, MRI, 근전도 등)소견이 일치하는 경우를 말한다.

④ "경추부의 완전강직"이라 함은 방사선 사진 상 경추부의 완전유합이 확인되고, 경추부의 운동가능범위가 0도 임을 말한다.

⑤ "요추부의 완전강직"이라 함은 방상선 사진 상 요추부의 완전유합이 확인되고, 요추부의 운동가능범위가 0도 임을 말한다.

⑥ 척추의 변형정도는 반드시 방사선촬영(Spine Scanogram)을 통한 검사소견에 의하여 판정한다.

⑦ "골유합술" 또는 "고정술"이라 함은 척추를 2개 이상의 기구나 골이식으로 유합시킨 것을 말하며, 척추분절에 운동을 허용하도록 고안된 척추인공관절삽입술, 연성고정술, 와이어고정술은 이에 포함되지 않는다.

⑧ 척추 수술한 경우 수술 후 6월 이내에는 완치로 인정하지 아니한다.

⑨ 척추의 기능장애와 척수손상으로 인한 마비장애가 병합된

표 08. **B표 : 척추 운동단위별 표준 운동가능영역**

경추부	운동기능	흉추부	운동기능	요추부	운동기능
Occiput-C1	13	T1-T2	(4)	T12-L1	12
C1-C2	10	T2-T3	(4)	L1-L2	12
C2-C3	8	T3-T4	(4)	L2-L3	14
C3-C4	13	T4-T5	(4)	L3-L4	15
C4-C5	12	T5-T6	(4)	L4-L5	17
C5-C6	17	T6-T7	(5)	L5-S1	20
C6-C7	16	T7-T8	(6)		
C7-T1	6	T8-T9	(6)		
		T9-T10	(6)		
		T10-T11	9		
		T11-T12	12		
합계(8분절)	95	합계(11분절)	21(64)	합계(6분절)	90

경우 두가지 장애 중 최종 완치된 장애를 기준으로 완치일을 인정한다. 단, 장애등급에 영향을 미치지 않는 장애에 대해서는 주된 장애의 완치기준을 따른다.

⑩ 척추의 변형장애와 기능장애가 동일부위에 동시에 남은 경우에는 그 중 상위의 등급으로 인정한다.

⑪ 척수손상으로 마비장애 또는 배뇨장애 등이 수반된 경우에는 종합하여 인정한다.

⑫ 강직성 척추염의 경우 운동가능범위의 측정은 제3장 “신체장애 운동범위 측정기준”에 의해 척추의 운동범위를 측정한 결과로 판정하되, 최대운동각도를 적용하고 필요한 경우 치료경과, 방사선 소견 등을 고려하여 판정한다.

(3) 척수손상 시 장애판정

① 국민연금법 척수 장애등급구분의 기준

장애등급	장애정도
1급6호	○ 신체의 기능이 노동불능상태이며 상시 보호를 요하는 정도의 장애가 남은 자 - 한쪽팔과 한쪽다리 또는 양팔이나 양다리의 마비 등으로 이를 이용한 일상동작 을 전혀 할 수 없도록 장애가 남은 자 - 사지의 마비 등으로 이를 이용한 일상동작의 기능에 상당한 정도의 장애가 남은 자
2급11호	○ 신체의 기능이 노동에 고도의 제한을 받거나 또는 노동에 고도의 제한을 가할 필요가 있는 정도의 장애가 남은 자 - 한쪽팔 또는 한쪽다리의 마비 등으로 이를 이용한 일상동작 을 전혀 할 수 없도록 장애가 남은 자 - 한쪽팔과 한쪽다리 또는 양팔이나 양다리의 마비 등으로 이를 이용한 일상동작의 기능에 상당한 정도의 장애가 남 은 자 - 사지의 마비 등으로 이를 이용한 일상동작의 기능에 장애가 남은 자

3급11호	○ 신체의 기능이 노동에 현저한 제한을 가할 필요가 있는 정도의 장애가 남은 자 - 한쪽팔 또는 한쪽다리의 마비 등으로 이를 이용한 일상동작 의 기능에 상당한 정도의 장애가 남은 자 - 한쪽팔과 한쪽다리 또는 양팔이나 양다리의 마비 등으로 이를 이용한 일상동작의 기능에 장애가 남은 자
4급9호	○ 신체의 기능이 노동에 제한을 가할 필요가 있는 정도의 장애를 입은 자 - 한쪽팔 또는 한쪽다리의 마비 등으로 이를 이용한 일상동작 의 기능에 장애가 남은 자

② 인정요령

i) 사지마비의 장애는 다음 요령에 의한다.

a. 지체의 기능장애는 원칙적으로 팔의 장애, 다리의 장애 및 척추의 장애 인정요령에 의해 판정하지만 뇌졸중 등의 뇌의 기질적장애, 척수손상 등의 척수의 기질적장애, 다발성 관절, 진행성 근육이영양증(근육위축) 등의 복합적 장애의 경우에는 관절 개개의 기능에 의한 판정기준에 따르지 않고 신체기능을 종합적으로 판단하여 인정한다.

b. 뇌손상(뇌졸중), 척수손상 등으로 인한 마비의 경우에는 초진일로 부터 12월이 경과된 날로 완치일을 인정하되 지속적인 충분한 치료에도 불구하고 향후 호전 가능성이 없어 고정성이 인정되는 경우에 한한다.

c. 척수손상으로 인한 완전마비의 경우는 초진일로부터 6월이 경과된 날로 완치일을 인정하며, 이 경우 완전마비는 근전도 검사결과 ASIA A인 경우에 한한다.

ii) 사지마비의 장애정도는 운동가동범위뿐만 아니라 근력, 운동의 정밀성, 속도 및 내구성 등을 종합적으로 고려한 다음의 일상동작의 상태에 따라 인정한다.

a. 팔(손)의 기능

- 숟가락으로 식사를 하는 것
- 얼굴을 씻는 것(얼굴에 손바닥을 붙이는 것)
- 화장실에서의 배뇨, 배변처리를 하는 것(바지의 앞지퍼를 열 수 있는 정도, 엉덩이에 손이 닿는 정도)
- 상의를 입고 벗는 것(상의를 입고 벗는 정도, 와이셔츠를 입고 단추를 잠그는 정도)
- 잡는 것(신문지를 뽑아낼 수 있는 정도)
- 쥐는 것(둥글게 한 주간지를 빼낼 수 있는 정도)
- 수건을 짜는 것(물이 흘러내리는 정도)
- 끈을 매는 것

b. 다리의 기능

- 일어서는 것
- 걷는 것
- 한쪽발로 서는 것
- 계단을 오르는 것
- 계단을 내려가는 것

c. "일상동작을 전혀 할 수 없도록 장애가 남은 자"라 함은 a, b항의 해당 신체부위 중에서 모든 일상동작을 혼자서는 전혀 할 수 없거나 이에 가까운 상태에 있는 자를 말한다.

d. "일상동작의 기능에 상당한 장애가 남은 자"라 함은 ①, ②항의 해당 신체부위 중에서 모든 일상동작을 혼자서는 거의 할 수 없거나 이에 가까운 상태에 있는 자를 말한다.

e. "일상동작의 기능에 장애가 남은 자"라 함은 a, b항의 해당 신체부위 중에서 일상동작을 잘 할 수 없도록 제한을 받거나 이에 가까운 상태에 있는 자를 말한다.

5) 산업재해 보상법에 따른 척추장애 판정

산재 보험의 척추장애 판정은 근로복지 공단에 판정 자문의 제도가 있어 판정에 어려움은 별로 없을 것이다. 다만 판정기준에 필요한 사항을 명시하여 주면 판정에 도움이 많이 되므로 이러한 내용을 기록하여 주는 것이 필요할 것이다.

산재 기준에도 척추 고정구간에 따른 장애 판정으로 많은 문제점을 가져왔으며 이로 인한 과도한 척추기기고정수술을 증가를 가져온 것이 사실로 제한된 기기수술의 승인이라는 명목으로 제대로 된 치료가 시행되지 못한 점도 있는 것이 사실이다. 따라서 현재에는 직접적인 운동범위 각도 측정이 아니라 운동분절의 유합으로 인한 운동범위제한을 정하고 있다 이는 국민연금법과 유사하므로 이를 참조하면 된다.

(1) 산업재해 척추 장애 판정 시 기록해야 할 사항

① 상병승인된 내용에 대한 병명 기록

② 수술받은 내용 및 수술일시, 장애가 고정된 시기

③ 현재의 장애상태

④ 운동각도범위는 장애판정기준이 아니므로 기록할 필요는 없다.

⑤ 수술받은 경우 이에 대한 구간명시 및 고정 구간의 기록

⑥ 압박골절인 경우 각 추체의 압박골절율 표기 필요

⑦ 신경근 장애 잔존 여부 확인 ; 근전도의 소견 필요 또한 근위축 여부, 마비 여부 감각신경증상의 잔존여부 확인

⑧ 신경근장애 시 근전도에 의한 이상 신경근 부위 정도 확인

(2) 척추장애 판정방법

척주장애 평가 기준은 크게 척추장애와 신경근장애로 구분하였다.

척추장애는 다시 변형장애와 기능장애로 구분하였는데 척추의 기능장애는 척추의 문제로 수술적 처치나 치료를 시행한 정도에 따라 구분하였고 변형장애는 외상으로 인한 척추골절시 골절 정도에 따른 변형을 구분하였다.

우선적으로 척추의 골절이나 손상으로 인한 장애로 보존적 치료를 시행한 경우에는 척추의 변형정도를 적용하여 평가하고 보존적 치료를 시행한 척추질환이나 척추 수술을 시행한 경우에는 척추 기능장애 평가를 시행한 후 신경장애 정도를 확인하여 이를 종합적으로 평가한다.

기존의 통증에 대한 평가는 신경장애에 포함되어 있으므로 척추와 관련된 통증이나 신경장애 (예를 들면 완고한 동통 잔존이나 사지부분의 마비소견 등)은 따로 산정 조정하지 아니한다. 즉 척추 및 척추신경과 관련된 동통, 마비장애는 따로 조정하지 아니한다. 또한 척수 손상과 관련된 장애는 두부 척수 손상에 따른 종합적인 장애평가로 판정한다.

(3) 척추의 부위별 산정

척추는 크게 경추, 흉추, 요추로 구분하고 있는데 이는 각 부위가 기능이 다르며 장애 정도도 다르게 나타날 수가 있다 따라서 새로운 척추장애 평가 안에서는 척추를 경추, 흉추, 요추로 구분하여 기존의 척추를 하나로 보는 것으로 인하여 2 부위 이상의 장애가 있는 경우 부적절하게 평가되었던 것을 각각 산정할 수 있도록 하였다. 그리고 척추장애 판정 부분을 세 부분으로 나누어 장애판정을 보다 효율적으로 한 것이 특징이라고 할 수 있다.

척추부위	분절 구분	추체구분
경추부	후두부-1경추 분절부터 7경추-1흉추 분절	경추 1번부터 경추 7번까지
흉추부	1흉추- 2흉추 분절부터 11흉추-12흉추 분절	흉추 1번부터 흉추 12번까지
요추부	12흉추-1요추분절부터 5요추-1천추 분절	요추 1번부터 천추까지

(4) 척추 기능장애 평가

척주의 운동가능 영역의 제한 정도는 직접 운동범위를 측정하는 방식이 아니라 Panjabi의 운동분절의 운동각도를 적용하여 고정 수술 시 각 운동부위의 운동범위 제한 정도를 적용하여 판정하는 방식이다(각 운동가능범위 참조).

따라서 피검자의 허리 운동각도 제한을 직접 측정할 필요가 없으며 고정부위를 명시함으로써 운동제한 정도를 알 수 있고 경추, 흉추, 요추 부위에 따라 차이가 나타날 수 있다(예 : 제3–4–5 요추 고정술 시 운동 제한 제3–4 요추간 15도, 4–5요추간 17도, 따라서 제 3–4–5 요추간의 운동범위 제한은 32도, 총 요추부 운동범위는 90도이므로 32/90 = 35% 따라서 35%의 운동가능 영역이 제한된 상태임).

등급	내용
14급	비관혈적치료나 보존적 치료를 시행한 추간반탈출증 ① 비관혈적인 치료(예;추간반성형술, 열치료술, 추간반소작술 등)을 시행한 경우
13급	관혈적 치료를 시행한 추간반탈출증 (미세현미경 수술 및 내시경 수술 포함.)
12급	① 척주의 각 운동범위의 제한율이 10% 미만 감소된 자 ② 관혈적 수술을 2구간 이상 시행하였거나 동일분절에 2차례 이상의(재수술) 관혈적 수술이 시행되었던 경우 ③ 준고정 수술을 시행한 경우

11급	① 척주의 각 운동범위의 제한율이 10% 이상-30% 미만 감소된 자 ② 척추의 뚜렷한 불안정 소견이 잔존하는 경우
10급	① 척주의 각 운동범위의 제한율이 30% 이상-50% 미만 감소된 자 ② 제1-2 경추간 고정술을 시행한 경우
9급	척주의 각 운동범위의 제한율이 50% 이상-70% 미만 감소된 자
8급	척주의 각 운동범위의 제한율이 70% 이상 감소된 자

(5) 척추 변형장애 평가

변형장애는 척추의 손상으로 인하여 골절이나 인대파열 등이 나타나 척추의 형태에 변화가 온 것으로 척추의 골절 정도에 따라 등급이 결정하고 있다. 압박골절의 정도는 장애 판정시기를 기준으로 하며 최종적인 압박율에 따른다.

표 09. **척추 변형장애 평가안(산업재해보상법)**

등급	내용
14급	① 척추체의 압박골절이 5~10% 인 경우 ② 추체외 골절이 2부위 이하인 경우
13급	① 척추체의 압박율이 10~20%의 골절인 경우 ② 추체외 골절이 3 이상 있는 경우 ③ 변형이 있는 천추골 골절
12급	① 척추체의 압박율이 20~30% 골절인 경우
11급	① 척추체의 압박율이 30~50% 골절인 경우
10급	① 척추체의 압박율이 50% 이상의 골절인 경우

(6) 척추신경근장애

① 척추 신경근장애는 경도, 중도, 고도, 극도로 나누어진다.

② 신경근 장애의 유무를 확인하는 데에는 근정도의 이상 유무

가 반드시 존재하여야 하며 근전도에서 이상소견이 관찰되며 뚜렷한 근위축 등의 마비 소견 등의 유무 확인이 필요하다.

③ 근력의 평가는 근력약화가 있으며 이 정도가 중력을 제거한 상태에서 능동적 운동의 가능성 여부를 확인해야 하며 신경근 손상 부위가 주된 신경근인지 아닌지 확인이 필요하다고 보고 있다.

④ 주된 신경근이란 경추부에서는 제5, 6, 7, 8 경추신경근이며 4–5요추 신경근이 이에 해당된다.

기능장애 혹은 변형장애 정도를 확인하고 척추 신경근 장애 정도를 확인하여 이를 봉합적으로 적용 척추장애 등급을 결정한다.

표 10. **척추 신경근 장애 평가안(산업재해보상법)**

경근장애 정도	내용
경도의 신경근 장애	척추신경근이 손상되었으나 뚜렷한 근위축이 없고 근전도 검사에서 신경증상이 있음이 확인되는 경우
중등도의 신경근 장애	척추 신경근의 손상으로 뚜렷한 근위축, 중력 또는 어느 정도의 저항 하에서 능동적 운동을 할 수 있는 경우: grade Ⅲ, Ⅳ의 마비소견(중력을 이기는 정도의 마비소견)
고도의 신경근 장애	주된 신경근 이외의 척추 신경근의 손상으로 뚜렷한 근위축, 중력을 이기지 못하거나 중력을 제거한 상태에서 능동적 운동이 가능한 경우 grade Ⅱ 이하의 마비소견 (중력을 이기지 못하는 정도의 마비소견)
극도의 신경근 장애	주된 척추 신경근(C5–8, L4–5)의 손상으로 뚜렷한 근위축, 중력을 이기지 못하거나 중력을 제거한 상태에서 능동적 운동이 가능한 경우 grade Ⅱ 이하의 마비소견 (중력을 이기지 못하는 정도의 마비소견)

(7) 산재재해보상법에서 척수손상 시 장애 판정법

척수장애 판정은 중추신경계의 장애에 속하기 때문에 종합적으

표 11. **산재 척추장애 평가 종합등급표**

척추장해 \ 신경근장해			경도 신경근장애	중등도 신경근장애	고도 신경근장애	극도 신경근장애
기능장해	변형장해	등급	종합평가등급			
- 보존적 치료 - HNP비관혈적 시술	- 추체압박율 5~10% - 추체외골절 2 이하	14급	13	11	10	9
- HNP관혈적 수술 내시경 수술 현미경 수술	- 추체압박율 10~20% - 추체외골절 3 이상 - 변형된 천추골절	13급	12	11	10	9
- HNP관혈적 수술 동일분절 2회 이상 2개분절 이상 준고정술 인공디스크 - 운동범위제한율 10% 미만	- 추체압박율 20~30%	12급	11	10	9	8
- 운동범위제한율 10% 이상 30% 미만 - 척추 불안정증	- 추체압박율 30~50% - 안정방출성골절, 찬스씨골절, 기타 척추 관침범골절	11급	11	10	9	8
- 운동범위제한율 30% 이상 50% 미만 - 제1-2 경추간 고정	- 추체압박율 50% 이상	10급	10	9	8	7
- 운동범위제한율 50% 이상 70% 미만		9급	9	8	7	6
운동범위제한율 70% 이상		8급	8	8	7	6

로 판정하고 있다. 따라서 중추신경계통의 장애 판정기준에 따라 전반적인 상태를 고려하여 이를 정하도록 하고 있다.

표 12. **척수손상 시 장애 판정표(산업재해보상법)**

장애 등급	장애 내용
제1급	신경계통의 기능에 뚜렷한 장애가 남아 항상 간병을 받아야 하는 자 두 팔을 영구적으로 완전히 사용하지 못하는 자 두 다리를 영구적으로 완전히 사용하지 못하는 자
제2급	신경계통의 기능에 뚜렷한 장애가 남아 수시로 간병을 받아야 하는 자
제3급	신경계통의 기능에 뚜렷한 장애가 남아 일생동안 노무에 종사할 수 없는 자
제5급	신경계통의 기능에 뚜렷한 장애가 남아 특별히 손쉬운 노무 이외에는 종사할 수 없는 자 한 팔을 영구적으로 완전히 사용하지 못하는 자 한 다리를 영구적으로 완전히 사용하지 못하는 자
제7급	신경계통의 기능에 뚜렷한 장애가 남아 손쉬운 노무 이외에는 종사할 수 없는 자 한 손의 5 개 손가락 혹은 엄지 손가락과 둘째 손가락을 포함하여 4개의 손가락을 제대로 못쓰게 된 자 두발의 발가락을 모두 제대로 못쓰게 된 자
제9급	신경계통의 기능에 장애가 남아 노무가 상당한 정도로 제한된 자
제12급	국부에 완고한 신경증상이 남은 자
제14급	국부에 신경증상이 남은 자

6) AMA 척추장애 판정 기준

AMA 판정기준은 현재 6판까지 나온 상태이며 5판과 6판의 가장 큰 차이는 5판 이전에는 척추의 운동범위의 측정이 중요한 기준이 될 수 있었는데 비해 5판에서부터 진단명에 따른 판정인 DRE (diagnosis–related estimate) 방법과 운동범위 제한 정도에 따른 ROM (range–of–motion) 방법으로 나누어져 있어 되도록이면

DRE방법을 적용하는 것을 원칙으로 하였다. 하지만 6판에서는 판정기준이 진단명에 따른 장애(Diagnosis based impair -ment) 판정이 되고 있으며 운동범위의 정도는 판정기준이 되지 않고 있다. 따라서 합리적이고 객관적인 판정 방법으로 가고 있다고 볼 수 있어 이는 매우 바람직한 사항이지만 아직도 6판에서도 몇 가지 문제점이 남아 있는 편이라고 할 수 있다.

(1) AMA 6판의 특징

① 진단명에 의거한 Diagnosis based impairment 방식이다.

② Key factor와 non Key factor가 있어 우산적으로 key factor에 의한 장애 등급정도를 정하고 이에 non key factor로 그 등급에서의 세부 장애정도를 정한다.

③ 운동범위 제한 정도는 판정기준이 아니라 판정 보조수단으로 사용하고 있다.

④ 보다 객관적인 판정을 하기 위해 증상 및 검사를 통한 판정을 시행하고 있다.

⑤ 진단명을 다양하게 나타내어 핀정에 도움이 되도록 하고 있다.

⑥ 최신 의료기술(척추성형복원술이나 척추성형술, 인공디스크나 후방 역동적 안정화 기구 삽입 등에 대한 판정도 가능하도록 하였다.

⑦ 경추 염좌나 만성 통증에 대한 판정이 포함되었다. 따라서 특별한 이상 소견 없이 지속되는 만성통증인 경우에도 작지만 장애율을 산정할 수 있게 하였다.

⑧ 염증문제는 척추의 합병증 중 가장 심각한 결과를 초래할 수 있는 사항이므로 이에 대한 판정기준을 추가로 나타내어 보다 현실적인 장애 판정을 할 수 있도록 하였다.

(2) AMA 6판의 문제점

① 장애 판정을 위해 많은 진찰과 많은 검사 도구를 필요로 하고 있다.
② 판정계산이 매우 복잡하여 판정결과에 차이가 있을 수 있다.
③ 1구간과 2구간에 차이를 두어 수술 부위에 따른 장애율에 차이가 날 수 있다.

(3) AMA(6판 기준) 판정방법

① 정확한 병력 기록과 진찰 그리고 MMI(최대회복시기)에 도달되었는지를 판정한다.
② 장애 평가에 해당되는 척추의 병변부위를 확인한다.
③ 진단명이 어느 진단분류에 해당되는지 정한다(Key factor).
④ 진단분류에서 장애 정도가 어느 정도에 해당되는지 장애 등급을 구분한다(Key factor).
⑤ 기능적 병력, 신체진찰결과, 임상적 결과 등을 확인하여 기준 등급에서의 가감정도를 정한다(Non-key factors).
⑥ 이를 적용하여 장애율을 판정하고 전신장애율을 구한다.

(4) AMA 장애평가 시 척추의 구분

① Cervical (경추부) : 후두골- 제1 흉추 ; O -C1 ~ C7-T1
② Thoracic (흉추부) : 제1 흉추-제12 흉추 ; T1-T2 ~ T11-12
③ Lumbar (요추부) : 제12 흉추-제1 천추 ; T12-L1 ~ L5-S1
④ Pelvis (골반부) : 장골, 천추골, 치골부

(5) 진단분류(Diagnosis-Base)

① 비특정적인 만성통증 혹은 만성적 재발성 통증 ; 염좌, 퇴행성 병변, 관절부 통증, 만성 편타성 손상

표 13. AMA 척추부 등급체계

척추 등급 체계(Spine Regional Grid)					
부위 / 등급	0	Class 1	Class 2	Class 3	Class 4
경추부	0	4~8% 4 5 6 7 8	9~14% 9 10 11 12 14	15~24% 15 17 19 21 23	15~30% 25 27 28 29 30
흉추부	0	4~6% 2 3 4 5 6	7~11% 7 8 9 10 11	12~16% 12 13 14 15 16	17~22% 17 18 19 20 22
요추부	0	4~9% 5 6 7 8 9	10~14% 10 11 12 13 14	15~24% 15 17 19 21 23	25~33% 25 27 29 31 33
골반부	0	1~3%	4~6%	7~11%	12~16%
비특이적 만성 혹은 만성 재발성 통증	0 증상호전 객관적 검사 소견에서 특이 소견 없음	1 1 2 3 3 지속적인 증상 잔존상태			
운동분절 병변(Motion Segment Lesions)					
추간반탈출증, AOMSI	0 보존적 혹은 수술적 치료로 잔존 증상이 남지 않은 경우	4~8 보존적 혹은 수술적 치료로 방사통이 호전되었거나 입증되지 않는 방사통 증상이 잔존하는 경우	9~14 1구간 보존적, 수술적 치료를 시행 후 임상적으로 병변 부위와 관련된 방사통 징후가 잔존하는 경우	15~23 2구간 이상 보존적, 수술적 치료를 시행받았고 1구간의 임상적 병변 부위와 관련된 방사통 징후가 잔존하는 경우	25~30 2구간 이상 보존적, 수술적 치료를 시행 받았고 양측성 혹은 다구간의 임상적 병변 부위와 관련된 방사통 징후가 잔존하는 경우

운동분절 병변(Motion Segment Lesions)					
가관절	잔존증상이나 징후가 없는 경우	동일	동일	동일	동일
협착증 (경추, 요추부만)	잔존증상 없는 경우	동일	동일/신경인성 파행 잔존	동일/신경인성 파행 〈10분	동일/심한 신경인성 파행, 보조 수단 없이는 보행 불가
척추전방전위증 (요추 부), 퇴행성 전방전위증	잔존증상이나 징후가 없는 경우	동일	동일/신경인성 파행 잔존	동일/신경인성 파행 〈10분	동일/심한 신경인성 파행, 보조 수단없이는 보행 불가
압박골절, 후방부골절 (경부, 후궁, 회돌기 골절), 방출성 골절	경도의 골절 소견이 있으며 증상잔존이 없는 경우	〈25% 골절소견, 경도의 방출 소견, 경부나 후방부의 5mm 이상의 전위가 있는 경우	25~50% 압박골절, 중도의 방출 소견, 5 mm 이상의 전위 소견 및 임상적으로 병변 부위와 관련된 방사통 징후가 잔존하는 경우	〉50% 이상의 압박골절, 고도의 방출 소견, 5mm 이상의 전위 소견 및 1구간의 임상적 병변 부위와 관련된 방사통 징후가 잔존하는 경우	〉50% 이상의 압박골절, 고도의 방출 소견, 5 mm 이상의 전위 소견 및 양측성 혹은 다구간의 임상적 병변 부위와 관련된 방사통 징후가 잔존하는 경우
탈구 및 골절 (유합술 포함)	동일	1구간 탈구 및 동일	1구간 탈구 및 임상적 병변 잔존	다구간 탈구 및 1구간의 임상적 병변 부위와 관련된 방사통 징후가 잔존하는 경우	탈구 및 양측성 혹은 다구간의 임상적 병변 부위와 관련된 방사통 징후가 잔존하는 경우
수술 후 합병증					심부 염증으로 장기간의 항생제 사용이나 만성 골수염

② 운동분절의 병변 : 추간판 질환 및 AOMSI(불안정성질환, 불유합, 역동성 고정술, 인공디스크 삽입술, 가관절
③ 경추 및 요추 협착증
④ 척추골절 및 탈구 : 압박골절, 후방부골절(경부, 후궁, 회돌기 골절), 방출성 골절
⑤ 골반골 골절 및 탈구

(6) AMA 6판의 장애등급 및 장애율 정도의 정의

		전신장애율(%)			
등급	정도	경추부	흉추부	요추부	골반부
0	무증상	0%	0%	0%	0%
1	경도	1~8%	1~6%	1~9%	1~3%
2	중도	9~14%	7~11%	10~14%	4~6%
3	고도	15~24%	12~16%	15~24%	7~11%
4	극도	25~30%	17~22%	25~33%	12~16%

① 우선적으로 척추 장애 부분이 어느 부위에 속하는가를 확인한다. 즉 경추부인지 흉추부인지 요추부인지 확인이 필요하다.
② 장애를 나타내는 것이 골절인지 아니면 불안정증인지, 협착증인지 전방전위증인지 확인이 필요하다.
③ 보존적 치료나 수술적 치료를 시행한 후 장애가 잔존한다고 하는 부위가 1구간인지 아니면 2구간 이상인지 확인이 필요하다.
④ ①, ②, ③으로 등급을 정한다.
⑤ 기능적 병력, 신체신경 검사 정도, 임상적 검사 정도를 확인하여 그 등급에서의 장애율 정도의 가감을 적용한다.

(7) AMA 척추부 등급체계

(8) AMA 장애율 조정

AMA 척추장애율은 범우로 나타나 있어 이를 조정을 할 때 Non Key factor를 적용하여 이를 조정하고 있다. 이 Non Key factor는 functional history, Physical exam, Clinical studies 를 적용하여 이를 조정하고 있다. 매우 복잡하고 까다로워 이해가 어려울 경우도 있으므로 특별한 경우가 아니면 중간값을 택하는 것도 하나의 방법일 수 있다.

① Functional History(기능적 병력)

기능적인 병력 정도는 일상기본생활 활동(Activities of Daily Living) 정도를 가지고 판정한다. 일상기본활동은 앉거나 서는 일, 보행 정도, 앉아서 일어나기 혹은 누워서 일어나기 등의 운동능력을 표시한다. 이를 잘 나타내기 위해 이에 대한 통증제한설문을 시행한다(Pain Disabilities Questionnaire)(표 14).

PDQ는 총 15개 문항으로 vas score를 측정할 때와 같이 scale로 측정하여 0~150점까지 나타낸다.

표 14. PDQ scoring

설문 수치	통증제한정도	등급보정
0	제한 없슴	A
1~70	경도의제한	B
71~100	중도의 제한	C
101~130	고도의 제한	D
131~150	극도의 제한	E

검사 시기는 MMI 시기에 시행해야 한다.

② 신체 신경검사(Physical Exam)

신경학적 검사를 시행하여 이에 대한 상태를 적용 가감정도를 정한다. 즉 spine alignment, 보조구 필요성 등으로 알아보고 신경학적 소견(신경근 견인 소견(root tension sign), 감각신경 및 운동신경 장애(sensory and motor deficits), 근위축(atrophy), 능동적 운동범위, 강도측정) 등을 참조한다(표 15).

표 15. Physical Examination Adjustment : Spine(AMA)

P/E Factor	0	1	2	3	4
요추 신경근 긴장	SLRT free		SLRT ; 35~70		
경추 압박소견	negative		Spurling's test + : 방사통		
건번사 (Reflex)	정상, 양측성		이상소견; 저하		
근위축 상지, 하지	〈1 cm	1.0~1.9 cm	2.0~2.9 cm	3.0~3.5 cm	〉3.5 cm
감각 신경이상	정상	Light touch 감소 : 일상활동에 제한 없음	Light touch 감소 : 약간의 일상활동 제한	Protective 감각 저하 : 약간의 활동 제약	감각없음 : 일상활동 제약
운동신경 장애	정상 : 5/5	약간의 중력제한 : 4/5	중력을 이기는 정도 : 3/5	중력제외된 상애 움직임: 2/5	약간의 수축이나 움직임 없음: 1~1/5

③ 임상적 검사(Clinical Studies)

검사결과, X-ray 검사, CT , MRI, 초음파, 핵의학 검사, 근전도 검사

임상검사 요인	0	1	2	3	4
X-ray, bone scan, MRI	특이사항 없음		CT/MRI 등 소견에서 이상소견 관찰; 불안정, 유합상태, 운동성 유지 장치삽입		주요 수술 합병증 관찰; 염증 및 변형
EMG	정상		한 개의 신경근 병변		여러 개의 신경근 병변

④ 조정 공식(Net Adjustment Formula)

CDX = Class of Diagnosis ; 진단명 등급

GMFH = 기능적 병력의 등급조정

GMPE = 신체 신경검사의 등급 조정

GMCS = 임상검사의 등급조정

Net Adjustment = (GMFH−CDX) + (GMPE−CDX) + (GMCS−CDX)

Grade Assignment(등급 장애율 조정)

Net Adjustment	-2	-1	0	1	2
Grade	A	B	C	D	E

각 등급의 장애율 조정은 초기값을 장애율의 중간 값 C로 하고 A, B, D, E 정도에 따라 장애율 조정을 한다.

(9) AMA 척수장애의 판정

척추 손상 시 척수 손상이 동반되면 대개의 경우 척추 손상은 Diagnosis Based 방법에 의해 장애 평가한 후 척수 손상은 척수 손상 장애율 평가 방식으로 구한 뒤 각 각의 장애율을 병합(com-bine)한다. 척수장애는 기존의 5판과 비교하여 보면 다소 하향 조정된 것을 알 수 있다. 특히 보행에서 5판보다 장애율이 감소하였다. 척수 기능 장애는 기립과 보행, 상지 기능, 호흡 기능, 방광 기능, 직장, 항문 기능, 성 기능으로 나누어 평가하며 각 장애율을 병산하여 구한다(표 16).

표 16. **AMA 척수장애 판정율**

장해 내용과 정도	전신에 대한 장해율(%)	
1. 기립과 보행		
일어설 수 있으나 계단과 장거리 보행이 어려움	1~10 %	
일어설 수 있으나 평지만 걸을 수 있음		
일어설 수 있으나 도움 없이 걷지 못함	11~20 %	
보조구나 도움 없이는 일어설 수 없음	21~35 %	
	36~50 %	
2. 상지기능	잘 쓰는 팔	잘 쓰지 않는 팔
손가락의 미세한 동작이 어려움	1~10 %	1~5 %
손가락의 미세한 동작을 할 수 없음	11~20 %	6~15 %
자신을 돌보기 어려움	21~40 %	16~30 %
일상생활은 전혀 못함	41~60 %	31~50 %
3. 호흡기능		
많은 힘이 필요할 때만 불편함 ; 달리기	1~5 %	
돌아다니기 어려움; 언덕오르기	6~20 %	
대부분 침상에 제한됨	21~35 %	
기관지 절개상태	36~50 %	
자발호흡이 불가능	51~60 %	
4. 방광기능		
혼자서 가릴 수 있으나 불편이 있음	1~5 %	
카테터 삽입필요	6~15 %	
1일 1회의 조절 불가(incontinent)	16~20 %	
전적인 조절 불가	21~30 %	
5. 직장 항문기능		
bowel program으로 자발적인 배설이 가능함	1~5 %	
1주 1회 정도 조절 불가		
1일 1회 정도 조절 불가	6~10 %	
배설 조절은 불가능함, 반사적 조절도 안 됨	11~20 %	
	21~30%	
6. 성기능		
성적 능력이 있으나 발기, 사정, 점액 분비에 어려움이 있음	1~5 %	
반사적 기능은 있으나 성적 각성은 없음	6~10 %	
기능이 전혀 없음	11~15 %	

7) 대한의학회 척추장애 평가

(1) 장애평가의 정의와 평가시기

척추·골반 장애평가란 경추, 흉추, 흉요추부, 요추, 천추(일부)를 포함한 척추와 골반에 관련된 질병이나 수상으로 인해 발생한 장애를 평가하는 것이다. 장애평가시기는 피검자가 의학적으로 최대회복상태(maximum medical improvement, MMI)에 이른 시점을 장애평가시점으로 한다.

(2) 장애평가의 일반원칙

① 척추장애평가는 단순히 환자가 호소하는 증상만으로 평가하는 것이 아니며, 임상 증상과 일치하는 신체검사 결과 및 의학적 검사(단순 방사선 검사, 전산화 단층 촬영 (CT), 자기공명영상검사(MRI), 골주사검사(bone scan), 근전도, 유발전위검사 등) 결과 등의 객관적인 자료를 근거로 실시한다.

② 척추장애평가에서 장애항목에 해당하는 척추 질환은

i) 척추 골절 및 탈구(신경 손상이 없는 경우, 신경 손상이 있는 경우로 신경 손상의 유무에 따라 세부 분류)

ii) 퇴행성 척추 질환 외 기타 질환(추간판 탈출증, 척추관 협착증, 척추전방전위증, 척추분리증, 척추 가관절[불유합], 화농성 척추 질환[수술 후 감염 포함], 후종 인대 골화증, 황색인대 골화증, 척추 종양, 강직성 척추염 등)

iii) 척수 손상 (원추증후군, 마미증후군 포함) 등으로 분류하여 평가한다.

③ 척추의 구분은 경추, 흉추, 흉요추, 요추 부로 구분하며 제 2 천추부 이하는 골반부에 적용한다.

경추부는 제1 경추–제7 경추, 흉추부는 제1 흉추–제9 흉추, 흉요추부는 제10 흉추–1요추, 요추부는 제2 요추–1천추까지를 말한다.

④ 용어의 정의를 요약하여 놓아 평가에 도움이 되도록 하였다.

i) 동일구간 : 경추부, 흉추부, 흉요추부, 요추부들을 각각 나누어 동일구간이라 한다.

ii) 근력약화의 평가 : 척추 질환으로 인해 손상된 주 신경근이 지배하는 주요 근력의 평가를 의미한다.

iii) 신경근병증 : 척추신경근의 압박이나 손상으로 인하여 나타나는 증상과 징후이며, 손상 정도의 평가(단발성 혹은 다발성)는 임상적 소견과 신체검사 결과와 방사선 검사와 근전도 결과를 바탕으로 평가한다. 따라서 척추골절 탈구에서 신경장애와 퇴행성 척추질환의 신경증상이란 '신경근병증'을 의미한다.

iv) 근전도 검사에서 이상 소견 : 단순히 척추 주위 근육의 이상소견이 아니라 상, 하지 신경근이 지배하는 상, 하지 근육의 이상 소견이 있는 경우이다.

v) 보행보조기 : 보행에 도움을 주는 기구로써 목발, 워커, 하지근력약화로 인해 사용하는 하지보조기 등이 해당된다.

vi) 척추 분절 : 2개의 척추체와 척추체 사이에 존재하는 추간판을 포함하여 '1개의 척추 분절'이라 한다.

표 17. **대한의학회(KAMS) 척추 골절과 탈구 장애율표(추체 외 골절: 횡돌기 골절, 극돌기 골절, 후궁 골절, 후관절 골절)**

장애항목			부위별 전신장애율(%)			
			①경추부	②흉추부	③흉요추부	④요추부
1. 추체 외 골절만 있는 경우	1) 추체 외 골절이 유합된 경우		0	0	0	0
	2) 추체 외 골절의 불유합(1개 이상의 추체 외 골절의 불유합)		1	1	1	1
2. 신경근증이 명확하지 않은 척추 골절 및 탈구	1) 수술을 하지 않은 1개의 척추 골절 탈구의 경우	(1) 척추체 골절의 압박률 4~10% 미만	3	2	3	3
		(2) 척추체 골절의 압박률 10~30% 미만	5	4	6	5
		(3) 척추체 골절의 압박률 30~50% 미만	7	6	8	7
		(4) 척추체 골절의 압박률 50% 이상	11	9	12	11
		(5) 제1 경추 골절	4	해당 사항 없음		
		(6) 제2 경추 골절 (치상돌기 골절)	2	해당 사항 없음		
		(7) 제2 경추 골절(치상돌기 골절 제외)	5			
		(8) 수술을 시행하지 않은 신경 증상이 없는 척추 골절과 탈구(후관절 탈구의 경우)	5	4	6	5
	2) 수술을 하지 않은 경우 (다발성 척추 골절 탈구, 추체 외 골절 포함)	2개 이상의 척추 골절 탈구가 동일 구간, 또는 2개 이상의 각각 다른 구간(경추부, 흉추부, 흉요추부, 요추부)에 발생한 경우	다발성 척추 병변의 장애율 병산방법을 적용하여 병산한다.			
	3) 수술(척추고정술과 골유 합술)을 시행한 경우	(1) 1개의 척추 분절에 대한 수술	8	7	7	8
		(2) 2개의 척추 분절에 대한 수술	11	10	10	11
		(3) 3개 척추 분절 이상에 대한 수술	14	12	14	15
		(4) 후두골(Occiput)과 제1 경추 간에 실시한 고정술(단독 실시)	8	해당 사항 없음		

2. 신경근증이 명확하지 않은 척추 골절 및 탈구	3) 수술(척추고정술과 골유 합술)을 시행한 경우	(5) 제1경추-제2 경추 간 고정술과 골유합술 (단독 실시)	10	해당 사항 없음		
		(6) 제2경추 치돌기 골절의 전방 나사못 고정술, 제2경추 협부 골절의 전방 나사못 고정술(단독 실시)	6			
3. 신경 손상이 있는 척추 골절과 탈구	1) 신경손상이 있는 척추 골절과 탈구에 대하여 수술을 하지 않은 경우	(1) 경도	수상 부위와 신경 손상 정도 등을 적용하여 신경 손상이 있는 척추골절 탈구로 1개 분절에 수술 (척추고정술과 골유합술)을 시행한 경우에 각각 준용하여, 척수 손상이 경우에는 중추 신경계장애평가방법을 적용한다.			
		(2) 중도				
		(3) 고도				
	2) 1개 분절에 수술 (척추 고정술과 골유합술)을 시행한 경우	(1) 경도	9 또는 CI*	7 또는 CI*	8 또는 CI*	9
		(2) 중도	14 또는 CI*	CI*	14 또는 CI*	14
		(3) 고도	20 또는 CI*	CI*	19 또는 CI*	20
	3) 2개 분절에 수술 (척추 고정술과 골유합술)을 시행한 경우	(1) 경도	11 또는 CI*	9 또는 CI*	10	11
		(2) 중도	16 또는 CI*	CI*	16 또는 CI*	16
		(3) 고도	22 또는 CI*	CI*	21 또는 CI*	22
	4) 3개 분절에 수술 (척추 고정술과 골유합술)을 시행한 경우	(1) 경도	14 또는 CI*	11 또는 CI*	13 또는 CI*	15
		(2) 중도	19 또는 CI*	CI*	19 또는 CI*	19
		(3) 고도	25 또는 CI*	CI*	24 또는 CI*	25
	5) 양측성으로 신경 증상이 있는 척추 골절과 탈구	F. 척추 병변으로 인한 양측성으로 신경 증상이 있는 경우의 장애율 병산법을 적용한다.				

CI*=척수 손상 장애 준용

⑤ 척추골절 및 탈구의 장애평가(표 17)

i) 척추골절은 추체외골절, 추체골절의 정도, 수술적 치료 여부, 신경손상의 정도 여부로 평가하고 있다.

ii) 추체외골절은 불유합인 경우에 인정되며 횡돌기골절, 극돌기골절, 후궁골절, 후관절골절인 경우이며 추체골절을 동반하는 경우에는 추체골절로 평가한다. 여러개의 추체외골절이 있는 경우에는 100%, 25%, 15%, 10%순으로 병산한다.

iii) 추체골절은 3% 이하인 경우나 골좌상인 경우에는 장애로 인정하지 않으며 압박율이 4~10% 미만, 10~30% 미만, 30~50% 미만, 50% 이상으로 정하고 있다. 압박율은 최종상태를 측정하며 척추성형술이나 풍선후궁성형술을 한 경우에도 최종상태를 평가하도록 하고있다. 제1, 2 경추의 골절인 경우 따로 분류를 하고 있다.

iv) 신경장애가 있는 경우에는 경도, 중도, 고도로 구분하여 장애평가를 구분하고 있다(표 18).

v) 수술을 시행한 경우에는 골유합술만 인정되고 있으며 1구간, 2구간, 3구간까지만 인정되며 3구간 이상의 다구간 고정시에도 3구간 고정으로만 평가한다.

vi) 척수손상이 있는 경우에는 중추신경장애 평가를 적용한다.

표 18. **대한의학회 (KAMS) 척추골절 시 신경장애가 동반된 경우 장애 등급의 정도**

장애 정도	장애 상태
신경병증이 명확하지 않은 경우	척추 골절 탈구로 임상적으로 병소 부위와 관련된 임상 증상이 있으며, 임상 증상이 방사선 검사(CT, MRI)의 결과와 일치해야 함
경도	척추 골절 부위와 손상된 주 신경이 지배하는 주요 근력이 4등급이며, 임상 증상이 방사선 검사(CT, MRI)의 결과와 근전도 검사 결과와 일치해야 함. 단, 척추 골절로 인한 족지 근력의 약화는 수술 여부와 근력의 약화 정도에 관계없이 경도의 장애 항목을 준용한다.
중도	골절 부위와 관련된 손상된 주 신경이 지배하는 주요 근력이 3등급이며, 임상 증상이 방사선 검사(CT, MRI)의 결과와 근전도 검사 결과와 일치해야 함.
고도	골절 부위와 관련된 손상된 주 신경이 지배하는 주요 근령이 2등급 이하이며, 임상 증상이 방사선 검사(CT, MRI)의 결과와 근전도 검사 결과와 일치해야 함

⑥ 퇴행성 척추질환의 장애평가(표 19, 20)

i) 관련 질환의 진단

a. '추간판 탈출증'이란 방사선 검사에서 추간판 탈출이 뚜렷하여 이로 인한 명백한 신경근 압박이 있고, 이에 합당한 임상증상이 있는 경우이다.

b. '방사선 검사, CT, MRI에서 추간판 탈출이 관찰된다고 모두 장애평가에 적용되는 것은 아니며 탈출된 추간판에 의한 척추신경근 압박으로 인해 환자가 호소하는 임상 증상이 신체검사(physical examination)와 방사선 검사, CT, MRI 결과 및 근전도 검사 결과와 일치하는 경우에 추간판탈출증으로 진단하고, 이에 대한 장애평가를 실시한다.

c. '척추 혹은 척수종양, 척추에 염증성 질환, 척추 불유합, 가관절 형성 등은 퇴행성 척추 질환에 준용하여 장애평

표 19. **대한의학회 (KAMS) 퇴행성 척추질환의 신경장애 등급표**

장애 정도	장애 상태	
	경추부	흉추부, 흉요추부, 요추부
신경병증이 명확하지 않은 경우	① 추간판 탈출증으로 병소와 관련된 방사통이 있으며, 방사선 검사(CT, MRI)의 결과와 임상 증상이 일치해야 함 ② 협착증 또는 기타 경추부 질환(예, 후종인대 골화증)으로 임상적으로 병소 부위와 관련된 임상 증상이 있으며, 임상 증상이 방사선 검사(CT, MRI)의 결과와 일치해야 함. ③ 가관절, 화농성 척추염, 수술 후 감염 등이 위에 해당하는 경우	① 추간판 탈출증으로 병소와 관련된 방사통이 있으며, 방사선 검사(CT, MRI)의 결과와 임상 증상이 일치해야 함 ② 협착증 또는 척추 전방 전위증으로 임상적으로 병소 부위와 관련된 임상 증상이 있으며, 임상 증상이 방사선 검사(CT, MRI)의 결과와 일치해야 함. ③ 가관절, 화농성 척추염, 수술 후 감염 등이 위에 해당하는 경우
경도	① 추간판 탈출증으로 병소와 관련된 방사통과 근력 약화(등급 4)가 있으며, 방사선 검사(CT, MRI)의 결과와 근전도 검사 결과와 임상 증상이 일치해야 함 ② 협착증 또는 기타 경추부 질환(예, 후종인대 골화증)으로 임상적으로 병소 부위와 관련되어 신경근병증과 주요 신경근과 관련된 3개 이상의 수지 근력 약화(등급 4)가 있으며, 임상 증상이 방사선 검사(CT, MRI)의 결과, 근전도 검사 결과와 일치해야 함. ③ 가관절, 화농성 척추염, 수술 후 감염 등이 위에 해당하는 경우	① 추간판 탈출증으로 병소와 관련된 방사통과 근력 약화(등급 4)가 있으며, 방사선 검사(CT, MRI)의 결과, 근전도 검사 결과와 임상 증상이 일치해야 함 ② 협착증 또는 척추 전방 전위증으로 임상적으로 병소 부위와 관련되어 신경근병증, 또는 신경인성 파행 증상이 있으며, 근력약화(등급 4)가 있으며, 임상 증상이 방사선 검사(CT, MRI)의 결과, 근전도 검사 결과와 일치해야 함. ③ 가관절, 화농성 척추염, 수술 후 감염 등이 위에 해당하는 경우 ④ 족지 근력의 약화는 수술 여부와 근력의 약화 정도에 관계없이 이항에 준용한다.

장애 정도	장애 상태	
	경추부	흉추부, 흉요추부, 요추부
중도	① 추간판 탈출증으로 병소와 관련된 방사통과 근력 약화(등급 3)가 있으며, 임상 증상이 신체검사와 방사선 검사(CT, MRI)의 결과와 근전도 검사 결과와 임상 증상이 일치해야 함 ② 협착증 또는 기타 경추부 질환(예, 후종인대 골화증)으로 임상적으로 병소 부위와 관련되어 신경근병증과 주요 신경근과 관련된 3개 이상의 수지 근력 약화(등급 3)가 있으며, 임상 증상이 신체검사와 방사선 검사(CT, MRI)의 결과, 근전도 검사 결과와 일치해야 함. ③ 가관절, 화농성 척추염, 수술 후 감염 등이 위에 해당하는 경우	① 추간판 탈출증으로 병소와 관련된 방사통과 근력 약화(등급 3)가 있으며, 임상 증상이 신체검사와 방사선 검사(CT, MRI)의 결과와 근전도 검사 결과와 임상 증상이 일치해야 함 ② 협착증 또는 척추 전방 전위증으로 임상적으로 병소 부위와 관련되어 신경근병증, 또는 신경인성 파행 증상이 있고, 근력 약화(등급 3)가 있거나, 독립보행이 어려워 보행보조기를 사용하여 보행을 하며, 임상 증상이 신체검사와 방사선 검사(CT, MRI)의 결과, 근전도 검사 결과와 일치해야 함. ③ 가관절, 화농성 척추염, 수술 후 감염 등이 위에 해당하는 경우
고도	① 추간판 탈출증으로 병소와 관련된 방사통과 근력 약화(등급 2 이하)가 있고, 임상 증상이 신체검사와 방사선 검사(CT, MRI)의 결과와 근전도 검사 결과와 임상 증상이 일치해야 함 ② 협착증 또는 기타 경추부 질환(예, 후종인대 골화증)으로 임상적으로 병소 부위와 관련되어 신경근병증, 주요 신경근과 관련된 5개 수지 근력 약화(등급 2 이하)가 있으며, 임상 증상이 신체 검사와 방사선 검사(CT, MRI)의 결과, 근전도 검사 결과와 일치해야 함. 단, 보행보조기를 사용하여도 보행이 불가능한 경우는 척수 손상장애에 준용함 ③ 가관절, 화농성 척추염, 수술 후 감염 등이 위에 해당하는 경우	① 추간판 탈출증으로 병소와 관련된 방사통과 근력 약화(등급 2 이하)가 있고, 보행보조기를 사용하여도 보행이 불가능하며, 임상 증상이 신체검사와 방사선 검사(CT, MRI)의 결과와 근전도 검사 결과와 임상 증상이 일치해야 함 ② 협착증 또는 척추 전방 전위증으로 임상적으로 병소 부위와 관련되어 신경근병증, 또는 신경인성 파행 증상이 있으며, 근력 약화(등급 2 이하)가 있거나, 보행보고기를 사용하여도 보행이 불가능하며, 임상 증상이 신체 검사와 방사선 검사(CT, MRI)의 결과, 근전도 검사 결과와 일치해야 함. ③ 가관절, 화농성 척추염, 수술 후 감염 등이 위에 해당하는 경우

표 20. **대한의학회 (KMAS) 퇴행성 척추질환 장애율표**

장애항목			부위별 전신장애율(%)			
			① 경추부	② 흉추부	③ 흉요추부	④ 요추부
1. 수술하지 않은 경우		(1) 신경근병이 명확하지 않음	4	3	4	4
		(2) 경도	5 또는 CI*	4 또는 CI*	6 또는 CI*	6
		(3) 중도	10 또는 CI*	CI*	9 또는 CI*	10
		(4) 고도	16 또는 CI*	CI*	16 또는 CI*	16
2. 감압술을 시행한 경우(고정술과 골유합술 이외의 수술)	1) 1개의 척추 분절에 감압술을 시행한 경우	(1) 신경근병이 명확하지 않음	6	5	6	6
		(2) 경도	7 또는 CI*	6 또는 CI*	7 또는 CI*	7
		(3) 중도	12 또는 CI*	CI*	12 또는 CI*	12
		(4) 고도	18 또는 CI*	CI*	18 또는 CI*	18
	2) 2개의 척추 분절에 감압술을 시행한 경우	(1) 신경근병이 명확하지 않음	7	6	7	7
		(2) 경도	8 또는 CI*	7 또는 CI*	8 또는 CI*	8
		(3) 중도	13 또는 CI*	CI*	13 또는 CI*	13
		(4) 고도	19 또는 CI*	CI*	19 또는 CI*	19
	3) 3개의 척추 분절에 감압술을 시행한 경우	(1) 신경근병이 명확하지 않음	9	8	9	9
		(2) 경도	10 또는 CI*	9 또는 CI*	10 또는 CI*	10
		(3) 중도	16 또는 CI*	CI*	16 또는 CI*	16
		(4) 고도	22 또는 CI*	CI*	22 또는 CI*	22

장애항목			부위별 전신장애율(%)			
			① 경추부	② 흉추부	③ 흉요추부	④ 요추부
3. 척추고정술과 골유합술을 시행한 경우 (감압술을 동시에 실시한 경우도 포함)	1) 1개의 척추 분절에 척추 고정술과 골유합술을 시행한 경우	(1) 신경근병이 명확하지 않음	7	6	7	7
		(2) 경도	8 또는 CI*	7 또는 CI*	8 또는 CI*	8
		(3) 중도	13 또는 CI*	CI*	13 또는 CI*	13
		(4) 고도	19 또는 CI*	CI*	19 또는 CI*	19
	2) 2개의 척추 분절에 척추 고정술과 골유합술을 시행한 경우	(1) 신경근병이 명확하지 않음	8	7	8	8
		(2) 경도	9 또는 CI*	8 또는 CI*	9 또는 CI*	9
		(3) 중도	14 또는 CI*	CI*	14 또는 CI*	14
		(4) 고도	20 또는 CI*	CI*	19 또는 CI*	20
	3) 3개의 척추 분절에 척추 고정술과 골유합술을 시행한 경우	(1) 신경근병이 명확하지 않음	12	10	12	12
		(2) 경도	13 또는 CI*	11 또는 CI*	13 또는 CI*	13
		(3) 중도	18 또는 CI*	CI*	18 또는 CI*	18
		(4) 고도	24 또는 CI*	CI*	24 또는 CI*	24
	4) 양측성으로 신경증상이 있는 퇴행성 척추 질환	F. 척추 병변으로 인한 양측성으로 신경 증상이 있는 경우의 장애율 병산법을 적용한다.				

CI*=척수 손상 장애 준용

가를 실시한다.

d. '황색인대 골화증이나, 후종인대 골화증 등의 질환으로 인한 척수증(myelopathy) 증상이 없으며, 임상 증상이 신체검사 결과와 방사선 검사결과가 서로 관련이 있으면 퇴행성 척추 질환에 준용하여 장애평가를 실시하며, 척수증(myelopathy) 증상이 있으면 중추신경계 장애평가방법을 적용한다.

e. '미만성 추간판 팽윤(diffuse bulging disk)이나, 신경병증이 없는 중심성 추간판 탈출증(신경근 압박이 뚜렷하지 않은 경우)은 장애평가에서 제외한다.

ii) 수술적 치료에 대한 정의 : 퇴행성 척추 질환에서 시행되는 수술은 감압술과 척추고정술과 골유합술(척추 고정술과 골유합술과 감압술을 동시에 실시한 경우도 포함)로 분류한다.

iii) 감압술은 척추고정술과 골유합술을 제외한 수술로 보든 수술을 정의하는 것은 아니며 일반적으로 신경차단술이나 신경성형술, 유착박리술, 열치료술 ,레이저감압술 등 시술적 치료와 연관된경우는 인정하지 않고 있다.

iv) 척추고정술은 골유합술과 병행을 인정하고 있다.

v) 척추고정의 구분은 1구간 고정, 2구간 고정, 3구간고정으로 분류하고 3구간 이상의 고정은 보두 3구간고정에 적용하고 있다.

vi) 신경장애에 대한 등급을 따로 두어 신경근증이 명확하지 않는 경우, 경도, 중도, 고도의 신경장애로 구분하여 이에 의한 장애평가를 하고 있다(표 19).

vii) 퇴행성 척추질환의 장애등급

⑦ 다발성 척추질환에 대한 척추장애평가(표 21)

i) 척추병변이 다발성으로 잇는 경우 이에 대한 장애병산법이 따로 되어 있다.

ii) 다발성으로 있는 경우 100%, 25%, 15%, 10%로 적용하고 있으며 각 장애정도를 병산한다.

iii) 척추골절인 경우와 퇴행성인경우 적용의 대상이 다르기 때문에 장애율 병산을 숙지해야 한다.

iv) 비록 장애가 동반되어 있는 경우 장애의 평가를 좀 더 합리적으로 하려는 취지인 것 같으나 대한척추장애평가안에서 가장 문제점이 있는 부분으로 병산하는 경우가 너무 다양하며 일관성이 없어 잘못하면 평가자의 누락실수로 될 수 있는 위험성을 내포하고 있다.

표 21. **다발성 척추질환의 장애율 병산법**

장애항목	장애율 산정법
1. 다발성 척추 병변의 장애율 병산	1) 척추 골절 탈구와 퇴행성 척추 칠환(기타 질환 포함)에 대하여 수술을 시행하지 않은 경우, 수술을 시행한 경우, 수술을 시행하지 않은 경우와 수술을 시행한 경우가 병행된 경우 등이 모두 포함된다.
	2) 장애율의 병산에서 '각 척추 분절별로 척추 질환과 관련되어 신경학적으로 의학적 근거가 명확한 경우'란 각 분절별로 이상 증상과 신체검사 결과와 방사선 검사 결과와 근전도 검사 결과 등에서 모두 명확하게 관련성이 있는 경우이다.
	3) 척추 각 분절별로 척추 질환과 관련하여 '신경학적으로 의학적 근거가 불확실한 경우란 근전도 검사에서 척추옆(parasplnat) 근전도 이상 소견, 다발신경병(polyneuropathy), 다발성 신경근병(multiple radiculopathy) 등은 각 척추 분절에 대한 구체적인 신경학적 이상의 대한 기술이 아니므로' 신경근병증이 명확하지 않음에 준용하며, 장애율의 병합 대상에 해당하지 않는다.
	4) 장애평가 표에서 '(1) 신경근증이 명확하지 않은 경우'는 장애율의 병합을 적용하지 않는다.
	5) 각 구간의 이행 부위 1개 분절에 국한된 척추 병변의 장애율은, 장애율이 큰 부위의 1개 분절의 장애율을 적용한다.
	6) 각 구간의 이행 부위가 포함된 다발성 척추 병변의 경우에는 이행 부위에 대해서 장애율이 큰 구간의 장애율을 적용한다.
	7) 척추 골절 탈구에 대해서는 다음의 기준을 적용한다. ㉮ 수술을 시행하지 않은 경우: 각각의 구간 내에서 각각의 척추 골절 탈구에 대한 장애율을 산정한다. ㉯ 수술을 시행한 경우: 수술을 시행한 경우에는 구간 별로 장애율을 산정한다. ㉰ 수술을 시행하지 않은 경우와 수술을 시행한 경우가 병행된 경우: 각 구간별로 척추 골절 탈구에 대해 수술을 시행하지 않은 골절 탈구에 대한 장애율과 수술을 시행한 골절 탈구에 대한 장애율을 각각 산정한다.

장애항목	장애율 산정법
1. 다발성 척추 병변의 장애율 병산	8) 퇴행성 척추 질환에 대해서는 다음의 기준을 적용한다. 장애와 관련이 있는 주된 질환에 대해서만 장애를 적용한다. ㉮ 동일 구간의 동일 부위에 다른 퇴행성 척추 질환이 함께 존재하며, 일측성으로 신경학적으로 의학적 근거가 명확한 경우에는 1개의 퇴행성 척추 질환의 장애율을 준용한다. ㉯ 동일 부위에 발생한 각각 다른 퇴행성 척추 질환에 의해서 각각 양측성으로 신경 증상이 별도로 나타난 경우(예, 우측과 좌측의 신경학적 이상 소견의 원인이 다른 경우)에는 양측성 신경 증상이 있는 경우의 병산 방법을 적용할 수 있다. ㉰ 수술을 시행하지 않은 경우: 다발성 퇴행성 척추 질환이 동일 구간 또는 각각 다른 구간에 존재하는 경우의 장애 평가 방법은 각 척추 분절별로 퇴행성 척추 질환과 관련되어 신경학적으로 의학적 근거가 명확한 경우에는 장애율을 병산한다. ㉱ 수술을 시행한 경우: 각각 다른 퇴행성 척추 질환으로 연속된 척추 분절에 수술을 시행한 경우에는 수술 방법에 관계없이 하나의 퇴행성 척추 질환으로 동일한 수술을 시행한 경우에 준용한다. 비연속적으로 수술을 시행한 경우에는 수술 방법에 따라 각각 장애율을 산정하여 병산한다. ㉲ 수술을 시행하지 않은 경우와 수술을 시행한 경우가 병행된 경우: 동일 구간에서 퇴행성 척추 질환에 대하여 수술을 시행한 부위와 수술을 시행하지 않은 부위에 각각의 퇴행성 척추 질환이 존재하면, 수술을 시행한 부위에 대해 구간 별로 장애율을 산정하고, 수술이 시행되지 않은 부위에 대해서는 각 척추 분절별로 척추 질환과 관련되어 신경학적으로 의학적 근거가 명확한 경우에만 장애율을 병산한다.
	9) 동일 구간에 다발성 척추 병변이 있는 경우에는 각각의 장애율을 비교하여 장애율이 가장 큰 장애율은 100%, 2번째로 큰 장애율의 25%, 3번째로 큰 장애율의 15%, 4번째로 큰 장애율의 10%를 적용하여 병산한다. 동일 구간의 다른 부위에서 각각 다른 수술 방법을 사용한 경우도 동일한 장애율 병산 방법을 적용한다.
	10) 각각 다른 구간에 1개의 척추 병변 또는 다발성 척추 병변이 있는 경우에는 동일 구간의 병변에 대한 장애율을 1~9)항에 준용하여 산정한 후, 각각 다른 구간의 장애율과 비교하여 장애율이 가장 큰 장애율은 100%, 2번째로 큰 장애율의 25%, 3번째로 큰 장애율의 15%, 4번째로 큰 장애율의 10%를 적용하여 병산한다.

⑧ 척수장애평가의 세부원칙

i) 척수 손상으로 인한 장애는 중추신경계장애평가방법을 사용한다.

ii) '척수증'이란 척수 손상으로 인해 근력약화, 보행장애, 심부건(DTR)반사 항진, 병적반사(pathologic reflex) 양성, 경직, 배뇨장애, 감각 이상이 있는 경우에 적용한다.

iii) 척수손상으로 발생한 질환과 해부학적 부위에 따라 각각 전신장애율을 독립적으로 적용한다(중추신경계장애평가방법의 적용).

iv) 마미증후군(원추증후군 포함)은 척수장애를 적용한다.

v) 척추골절 탈구로 인해 척수 손상이 발생하여 척추고정술을 시행한 경우에는 중추 신경계장애평가의 척수장애율과 척추장애평가에서 척추 골절 탈구로 시행한 고정술의 장애표(신경 손상이 불명확한 경우:)항만을 적용하여 병산한다.

vi) 퇴행성 척추질환으로 척수 손상이 발생하여 척추고정술을 시행한 경우에는 중추 신경계장애평가의 척수장애율과 척추장애평가에서 퇴행성 척추질환으로 시행한 고정술의 장애율(신경근증이 명확하지 않은 경우)항만을 적용하여 병산한다.

vii) 척수 손상으로인한 장애로 척추고정술을 시행한 경우에는 고정술에 대하여 양측성 장애를 적용하지 않는다.

⑨ KAMS 척추장애평가안의 문제점

대한의학회 척추분야 평가는 2007년부터 준비하여 2010년 처음으로 장애평가안이 나온 후 이미 2차례 개정이 이루어져 3판이 나왔지만 아쉽게도 실전에서는 아직 전혀 사용이 되지 못하고 있다. 특히 척추분야에서는 3차례나 거의 전반적인 평가 세부내용이 바뀌는 수난을 겪었지만 그 중 3판이 가장 문제점이 많은 평가안으로 생각된다. 하지만 이는 척추장애평가가 그만큼 복잡하고 장애 정도를 규정할 만한 척도가 어렵기 때문이다. 아마도 점차 많은 의견조율이 있으면 좀 더 효율적인 장애평가안이 나오게 될 것으로 기대한다.

이번에 대한의학회 척추장애율은 장애율의 정도가 기존의 타 장애평가안보다 훨씬 저평가되어 있어 그대로 적용하는 경우 여러 가지 사회적인 문제가 야기될 수 있을 것이다. 따라서 장애율의 조정에 대한 사회적인 합의가 있어야 할 것이다.

그리고 진단명에 따른 병산 방법이 있어 진단이 많으면 장애평가시 유리할 수 있어 혼란을 가중시킬 수 있다고 하겠다. 이러한 경우 진단명의 유무에 대한 논란이 가중될 수 있다. 또한 장애율 병산에 관련된 경우의 수가 너무 많이 있어 잘못하면 평가자의 누락에 의한 오류가 발생될 수 있어 이에 대한 법률적인 문제가 야기될 수 있는 소지가 있다고 하겠다. 따라서 선의의 피해자가 발생될 수 있는 가능성이 있다고 하겠다.

8) 추간판(반) 탈출증에서 사고와의 관여도 문제

보험에 대한 관심이 높아지면서 재해나 질병 발생 이후 보험 지급에 대한 관심이 매우 높아지고 있다. 이 중 가장 문제점이 되고 있는 것이 추간판탈출증인데 이러한 이유는 심한 외적인 요인이 없이는 건강한 추간판의 탈출이 나타난 다는 것이 이론적으로 불가능하기 때문이다. 추간판 탈출증은 발생 기전부터가 논란이 많으며 발생원인을 명확히 밝혀내는 것이 어렵다.

(1) 추간판탈출증의 발생 기전

추간판 탈출증은 섬유륜이 파열되어 균열된 수핵이 빠져나감으로 생기는 것으로 추간판이 탈출되기 위해서는 추간판의 겉 윤곽을 구성하고 있는 섬유륜이 파열되어야 하고, 아울러 수핵이 균열되어야 하기 때문에 이러한 두 가지 조건은 이론상 외상에 의해서도 가능하고 퇴행성 변화에 의해서도 생길 수 있다.

하지만 정상적인 추간판이 갑자기 파열된다는 것은 극히 드문 사항으로 기존에 추간판의 기능이 약화되어 있는 경우 외적인 요인이 작용하게 되어 약화된 섬유륜의 균열부위로 탈출이 일어난다는 것이 가장 합리적인 설명으로 받아들여지고 있다. 또한 추간판의 변성은 과거에는 나이와 관련성이 있다고 하였으나 이 또한 나이보다는 유전적 소인과 관련이 있는 가족력과 관련성에 무게를 두고 있는 실정이다. 이를 토대로 본다면 추간판의 변성은 추간판 탈출에 요인이 되고 있으며 건강한 추간판이라면 단일 외상에 의해서는 탈출되지 않지만, 퇴행성 변화가 있는 추간판은 단일 외상에 의해서도 탈출될 수 있고, 건강한 추간판도 반복적으로 과다한 힘을 받으면 퇴행성 변화가 촉진되어 추간판이 탈출될 수 있다고 정리할 수 있다. 그러므로 외상에 의한 추간판탈출증이더라도 퇴행성 변화가 존재하는 경우이므로 이를 단순히 외상에 의해서만 발생되었다가 볼 수 없어 사고와의 관여 정도를 알아보아야 하는 것이다.

(2) 추간판탈출증에서의 사고와의 관여도 측정

추간판 탈출증의 사고의 강도 및 추간판의 변성정도 퇴행성 소견인 골극이나 추간판 간격의 협소 등이 관여될 수 있다. 또한 추간판이 사고 이전에 증상과 관련된 경우라면 사고와의 관련성은 적어질 수 있을 것이다. 따라서 사고와의 관여도에 영향을 줄 수 있는 요인을 살펴보면 손상기전, 병소위치, 과거력, 추간변의 변성, 주치의 판단, 임상적 검사로 나누어 볼 수 있을 것이다.

표 22. **다발성 척추질환의 장애율 병산법(계속)**

장애항목	장애율 산정법
2. 양측성으로 신경 증상이 있는 경우의 장애율 병산	1) 수술을 시행하지 않은 경우나 수술을 시행한 경우에 동일하게 적용한다.
	2) 척추 질환으로 인해 양측성으로 신경 증상이 있는 경우란 의학적 근거가 임상 증상과 신체검사 결과와 방사선 검사 결과와 근전도 검사 결과 등에서 모두 명확하게 관련성이 있어야 한다.
	3) 장애평가 표에서 '(1) 신경근증이 명확하지 않은 경우'와 '(2) 경도의 신경장애'에는 양측성 장애를 적용하지 않는다.
	4) 동일 구간의 동일 부위에 양측성으로 신경 증상이 있는 경우에는 신경 증상이 심한 부위의 장애율은 100%, 나머지 장애율은 해당 장애율의 25%만 인정하여 병산한다.
	5) 동일 구간이나, 다른 구간에 다발성 척추 병변으로 인해 양측성으로 신경 증상이 명확한 경우에는 양측성으로 신경 증상이 있는 경우의 병산 방법과 다발설 척추 병변의 병산 방법을 함께 적용한다.
	6) 척수 손상이나 마미증후군(원추증후군 포함)에 대해서는 중추신경계장애평가방법을 사용한다.
	7) 척수 손상으로 인해 양측성으로 신경 증상이 있는 경우에는 충추신경계장애평가방법만을 적용한다.

손상기전에서는 재해 발생 기전이 어떠하였는가를 나타내며 골절이나 인대 파열이 있는 경우, 뚜렷한 재해란 증상발현과 관련이 있을 것으로 보이는 사항이고, 가벼운 재해란 증상발현과 관련성이 애매한 경우이며, 병소 위치를 골절 인접 부위인지, 제2, 3 요추간 혹은 제2-3, 3-4 경추간의 추간판일 경우, 제3, 4 요추간 이하나 제 4-5 경추 이하인 경우 즉 추간판 탈출이 주로 나타나는 경우로흔히 재해와 관련 없이도 주로 나타날 수 있는 부위를 참고로 하였다. 과거력상 추간판 탈출증 기왕력이나 척추의 문제로 치료를 시행받거나 진료를 받은 시점을 대상으로 하였고 이는 1년 이상 없는 경우, 3개월에서 1년 이내의 이전의 경우, 외상 발생 전 3개월 이내인 경우에는 사고와 관련성이 적을 것으로 보았다. 추간판의 변성의 정도를 평가하여 구분하였고 주치의 진찰 소견과 정밀검사에서 환자가 호소하는 증상이 관련이 있는지 여부, 정밀검사 소견 등과 증상 발현과의 관련성이 있다고 판단되는 경우를 평가하여, 총 점수를 12로 보았고 각 점수를 합해 2점을 빼고 이에 10을 곱해 사고와의 관여도를 판단하는 것으로 하였다(표 22).

예 : 과거력 상 특이소견 없던 36세 된 남자가 2개월 전 작업 중 물건을 들다가 넘어지고 난 후 심한 좌측 하지 방사통 및 보행제한

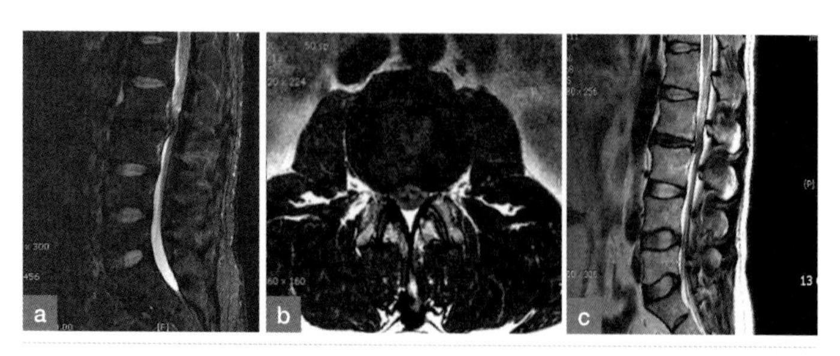

▌그림 01. **외상성 추간판 탈출증 기여도 사례**

표 23. **추간반탈출증과 사고와의 관여도**

점수	손상 기전	병소 위치	과거력	추간반 변성	주치의 판단	임상적 검사
2	골절이나 인대 파열	골절 인접	재해 이전 1년 이상 무증상	변성 소견 별로 없으며 추간반 간격 유지	진찰 소견 합당	정밀 검사(MRI 나 CT, EMG 등)에서 뚜렷한 소견
1	뚜렷한 재해인정	제1-2, 2-3 요추부나 제2-3, 3-4 경추부	3~12개월 무증상	추간반 변성 소견	확실치 않음	정밀검사 소견에서 관련성있는 소견
0	가벼운 재해	제3-4 요추부 이하나 제4-5 경추부 이하	3개월 이전 증상 경력	추간반 간격 협소 뚜렷, 골극 형성	추간반 탈출과 관련없는 증상	정밀 검사와 관련이 적을 경우

(점수 합 - 2) * 10 = 사고 관여도

이 있어 보존치료를 하였으나 큰 효과가 없어 수술적 치료를 받았다 (그림 01).

사고와의 관여도를 적용할 경우는 손상기전에서 뚜렷한 재해가 인정되므로 1점, 병소위치가 제2,3 요추간이므로 1점, 과거력상 무증상이었으므로 2점, 추간판 변성 및 추간판 간격 협소가 뚜렷하므로 0점, 주치의 판단상 진찰 소견에 합당하므로 2점, 임상적 검사에서 뚜렷한 소견이 있다고 판단되므로 2점 이들의 합은 8점이 되고 여기서 2점을 빼 10을 곱하면 외상의 기여도는 60%가 된다.

9) 장애 지속기간에 대해서(한시, 영구 장애기간에 대해)

배상 또는 보상을 해야 하는 장애는 모두 영구장애인 것이 타당하다. 하지만 신체장애가 영구적이라 할지라도 그 장애가 지속되는 기간은 반드시 영구적이라고 할 수 없다. 즉 장애기간이 지속될수록 이에 대한 적응력도 증가되어 어느 정도의 기간이 지나면 일상활동 수행에 적응이 되어 어느 정도는 호전을 가져올 수 있기 때문이다. 그래서 장애로 인한 기대 수익의 손해를 추정하기 위해서는 [장애지속기간]을 산출해야 하나, 그 동안 장애지속기간을 따로 산출하지 않고 영구적, 곧 정년이나 근로 가능 기간까지 인정했던 것이 관행이었다고 할 수 있다.

일반적으로 장애 판정은 신체적 장애의 영구적인 상태를 나타내고 있는 것으로 이를 한시적인 장애로 보는 것은 잘못된 사항이다. '한시장애'란 일본에서 보험과 관련하여 수많은 문제점들이 발생하면서 경추 염좌나 요추 염좌 시에 나타나는 보상적인 문제를 해결하는데 장애 정도가 크지 않을 때 장애지속기간을 일정기간으로 제한한 것이 시초였으나, 우리나라에 들어올 때 장애지속기간에 대한 아무런 합의가 없이 '한시장애'란 용어만 도입되어 장애지속기간은 말

그대로 판정자의 의사 마음대로 들쭉날쭉하여 장애 판정시 많은 불신과 불만의 원인이 되고 있어 왔으며 이러한 비과학적인 방법은 버려야 할 것으로 본다.

장애평가를 하는 경우 적지 않은 사례에서 한시적 장애를 적용하는 경우가 많은데 특히 척추장애평가 시 그러하다고 하겠다. 이는 기존의 맥브라이드식 장애평가에서 장애율이 지나치게 많다고 여기기 때문이다. 맥브라이드식 장애평가가 나올 시기에는 척추에 대한 개념이 지금과는 매우 상이하며 치료방법 또한 낙후되어 있어 그 경과가 좋지 않아 장애의 정도가 심각한 것으로 여겨왔었던 것으로 생각된다. 하지만 현재에는 척추병변에 대한 치료법이 괄목할 만한 성장을 가져왔고, 치료예후에도 매우 양호하여 장애정도가 전과는 다르게 적게 나타나게 된다고 할 수 있다. 그래서 맥브라이드식 장애평가를 적용할 때 상향평가된 장애율을 줄이기 위해 한시적 장애란 용어를 사용하여 장애율의 하향조정을 가져왔었다. 하지만 이러한 사항은 맥브라이드 장애평가를 시행하는 경우에만 적용되는 것이고 새로운 장애평가안을 사용하는 경우에는 한시적이란 용어를 적용하는 것은 적절하지 않다고 하겠다. 특히 가장 합리적이라고 여기는 AMA 장애평가는 영구적인 장애 평가율로 되어 있다.

그러나 척추의 상태를 보면 Aging Process라는 자연 경과적인 변성 및 퇴행변화를 거치게 되는데 이는 극히 자연적인 사항으로 이로 인하여 새로이 나타나는 증상이 있으며 이로 인하여 소멸되는 증상도 있다고 할 수 있다. 그러므로 자연 경과적으로 나타나는 사항을 장애로 판정하기 어려운 상황이므로 이를 100% 영구적인 장애로 인정하기 어렵다고 본다.

그러므로 척추장애인 경우 장애지속기간을 적용 판정한다면 그 정도가 심각하지 않은 척추부의 염좌나 신경학적 증상이 잔존하지 않는 추간판탈출증인 경우에는 자연적 경과에 따라 그 정도가 경감되거나 호전되는 경우가 있으므로 이럴 경우에는 한시적 장애나 영구적 장애란 용어를 쓰기보다는 능력상실지속기간(장애지속기간)을 적용하는 것이 타당할 것이다.

장애지속기간을 정하는 것은 매우 어려운 일이며 여기에 대한 자료가 거의 없는 실정이므로 이를 판정하는 것은 매우 힘든 사항이다. 하지만 이경석 저의 "배상과 보상의 의학적 판단"을 참조로 하여 보면 기존의 장애지속기간은 환자의 현재 나이와 신체 장애율을 고려하여 그 기간을 구체적으로 구하는 다음과 같은 수식을 제시한 바 있다.

능력상실지속기간 산출 근거

능력상실지속기간 = [능력상실율/5 +나이/10] × 인정비율

노동능력상실기간 산출 인정비율

노동능력상실률	0~3	3~5	5~10	10~15	15~20
인정비율	50%	60%	70%	80%	90%

(참조 : 2012년 대한의료감정 춘계학회 노동능력 상실기간 산정방안 이경석 발표)

하지만 이는 염좌나 신경학적 증상이 잔존하지 않는 추간판 탈출증에 국한되어 적용해야 할 것이며 장애율도 크지 않은 경우에 적용해야 할 것이다.

특히 자동차보험에서는 한시적 장애를 판정하는 경우에는 장애등급과 관련없이 한시장애가 7년 미만인 경우에는 장애 등급과 관련없이 14급 9항을 적용하고 있어 한시적 장애란 용어의 사용에는 신중을 기해야 할 것이다. 특히 사고와 관련성이 높은 경우라면 고

정상태나 신경학적 결손장애가 뚜렷이 남은 경우에는 이를 적용하지 않아야 할 것이다. 또한 척추장애 시에는 사고와의 관여 정도를 따지게 되므로 이를 엄밀히 적용하는 경우에는 장애의 지속기간에 한시적인 장애를 적용하는 것은 이중으로 적용이 될 수 있으므로 이에 대한 좀 더 많은 토론과 사회적 합의가 따라야 할 것이다.

10) 척추의 운동각도 측정(Range of Motion)

척추의 운동각도 측정은 과거에는 장애 평가를 하는데 중요한 부분이 되었으나 현재의 척추장애 평가를 하는 데에는 거의 타당성이 없다고 보고 있다. 따라서 척추장애 평가 시 척추의 운동 범위를 각도로 측정하는 방법은 현재의 장애평가 시에는 거의 사용되고 있

표 24. **여러 척추장애평가 정상 운동범위 기준**

		산재보험법 국민연금법	AMA 2판	AMA 4판		생명보험사
측정도구		Goniometer	Goniometer	Inclinometer		?
경부	전굴	45	45	50		30
	후굴	45	45	60		30
	좌굴	45	45	45		40
	우굴	45	45	45		40
	좌회전	80	80	80		30
	우회전	80	80	80		30
				흉부	요부	
흉요부	전굴	90	90	60	60	90
	후굴	30	30	0	25	30
	좌굴	30	30		25	20
	우굴	30	30		25	20
	좌회전	30	30	30		30
	우회전	30	30	30		30

지 않다(표 24).

맥브라이드 장애 평가시에 척추골절시 free motion에 대한 제한 정도로 평가를 한다고 되어 있으나 운동각도 측정방볍은 명시되어 있지 않아 실질적인 운동각도는 필요하지 않다.

산재보험법이나 국민연급법 그리고 장애인 등록법에서는 과거 평가법이 보완되기 전에는 장애정도를 측정하는 경우에 운동각도를 측정하였으나 현재는 사용하지 않고 있으며, 운동제한정도를 나타내는 방법으로 Panjabi의 정상적 척추의 분절간 운동범위를 이용하여 분절간 고정시 운동제한을 예상하여 장애정도를 평가하고 있다. 하지만 이는 신전굴곡의 운동만을 적용한 것으로 실제적인 운동각도의 측정은 없다고 할 수 있다.

AMA 장애 평가에서는 2판에서는 각도기(Goniometer)를 이용한 운동각도를 측정 이를 장애 평가에 이용하였으나 제4, 5판에서는 각도기의 측정이 정확도가 떨어지기 때문에 이를 경사기(Incli -nometer)를 이용하여 각도를 측정 보완하는 것을 보여주었으나 이 경사기는 우리나라에서는 구하기가 쉽지 않고 그 가격 또한 만만하지 않아 사용이 일반화되어 있지 않다고 하겠다.

생병보험법에서는 1999년 2월 이전의 보험가입자에게서는 척주 장애평가시 운동각도 제한으로 등급을 정하였기 때문에 척추의 운동각도를 측정하는 경우가 있게 된다. 이때의 약관으로는 모든 척추 관련 장애 평가시 운동각도의 제한이 평가의 기준이 되고 있다. 하지만 그 이후 장애 평가기준을 바꾸어 2005년 5월 이전에 가입한 경우에는 추간판 탈출증을 제외한 골절 및 변형에 대해 운동각도의 제한 정도가 평가 기준이 되었다. 하지만 생명보험법에서의 운동각도 측정방법은 제대로 제시되어 있지 않고 그 정상적인 운동범의 또한 근거가 명확하지 않은 내용이라 하겠다.

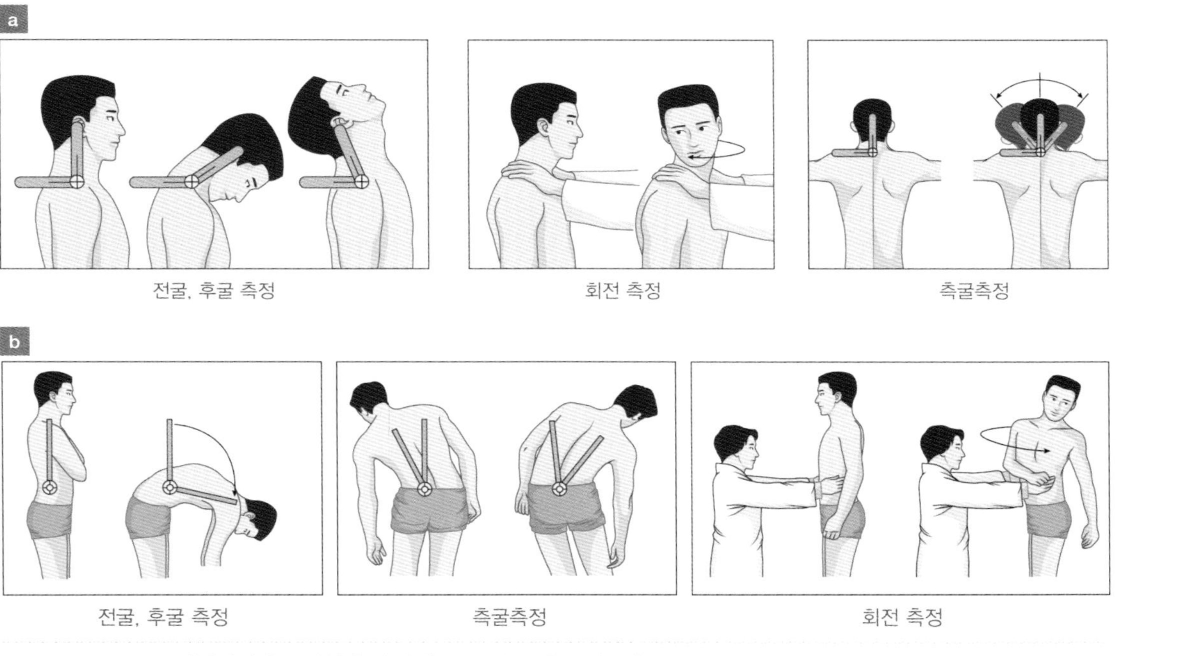

■ 그림 02. **AMA 2판에서의 운동범위 측정 방법.** a. 경추부 운동범위 측정방법, b.흉요추부 운동범위 측정방법

따라서 척추의 운동각도를 측정하는 경우에는 그 정상적인 범위는 AMA 2판을 기준으로 하는 것이 타당할 것이며 각도를 측정할 수 있는 각도기(Goniometer)를 이용하는 것이 바람직 할 것이다. 이 운동범위는 산배보험법, 국민연급법, AMA 2판이 동일한 방법으로 제시되었다(그림 02).

척추의 운동각도를 측정하여 이를 장애평가 기준으로 하는 것은 여러 논문들에서 그 타당성과 재현성, 일관성이 이미 유의하지 않다고 알려져 있어 운동각도를 직접 측정하여 평가하는 것은 더 이상 효용이 없다고 할 것이다. 다만 수술 후의 증상의 호전 정도가 수술 기구의 타당성 등을 나타낼 경우에 이용하는 것이 바람직 할 것이다.

11) 척추체 압박율 및 후만각 측정

① Cobb's angle 측정법

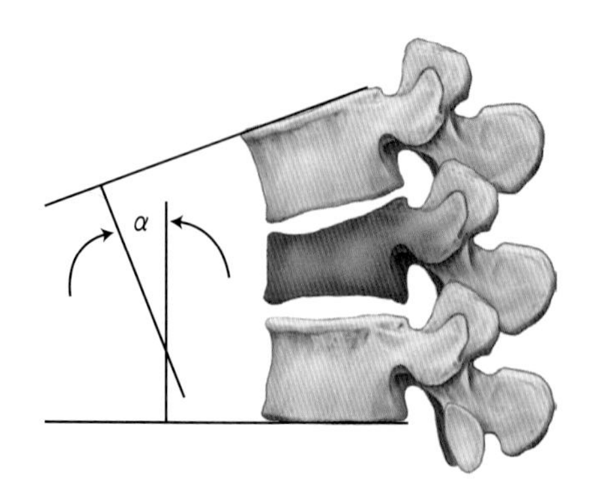

② Segmental deformity angle 측정법

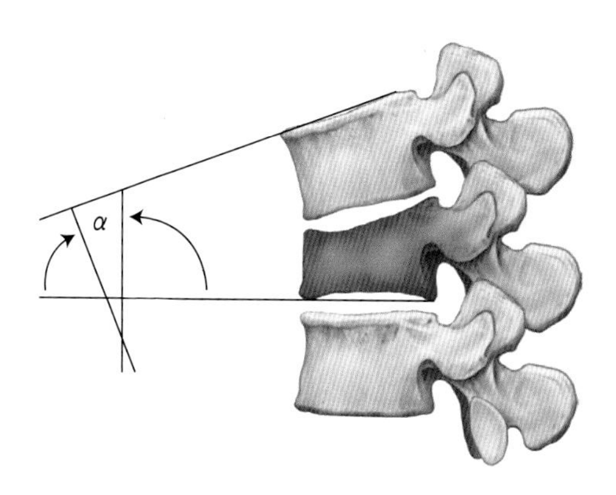

③ Local kyphotic angle 측정법

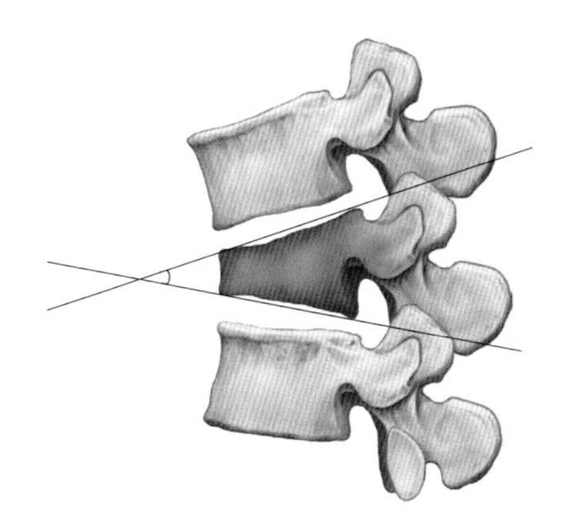

(1) 척추체 압박율 측정방법

척추체의 압박율 측정방법은 여러 가지 측정 방법이 있으나 가장 보편적으로 사용되어지는 것은 골절 추체에서 압박율이 가장 심한 부위에 해당되는 곳의 아래, 위 척추체의 높이를 계산하여 이를 평균으로 한 높이를 압박되기 전의 척추체 높이로 추정하여 압박율을 계산한다.

즉 압박율은 2 b / (a + c) × 100%, 2A/(B1 + B2) × 100%에 해당한다(그림 03).

(2) 척추체 압박 후만각(Kyphosis)측정(그림 03)

대표적인 척추체의 압박골절이 있어 이에 대한 변형을 나타내는 방법으로 척추후만각을 측정하는데 측정방법은 매우 다양하며 각기 나름대로 타당성이 있으나 가장 대표적인 방법은 콥스각(Cobb's angle)

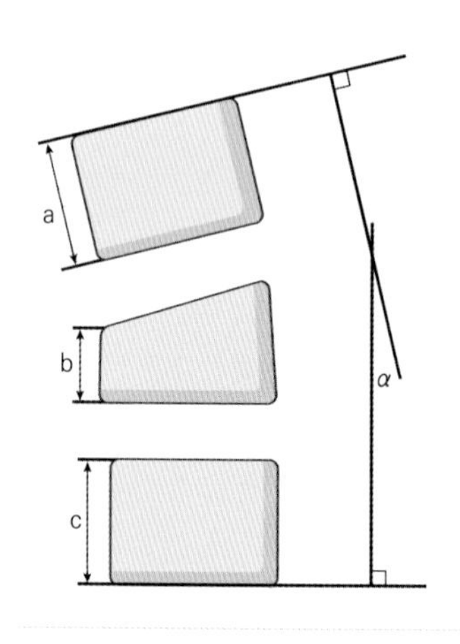

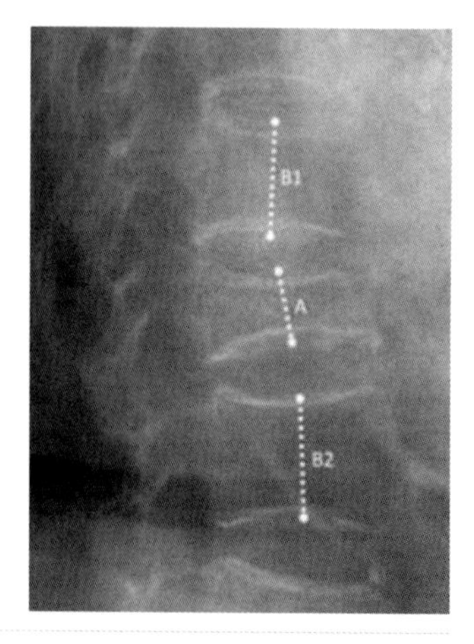

▮ 그림 03 **척추체 압박율 측정방법.** 2b / (a+c) 혹은 2A / (B1+B2)

측정방법이며 다른 하나는 국소변형각(Segmental deformity angle) 측정방법이다. 콥스각 측정방법은 골절된 척추체를 중심으로 정상적인 상부 척추체의 상부면과 정상적인 하부 척추체의 하부면이 이루는 각도를 말한다.

국소변형각 측정방법은 골절된 척추체를 중심으로 정상적인 상부 척추체의 상부면과 골절된 척추체의 하부면이 이루는 각도를 말한다. 경우에 따라서는 골절된 추체만의 국소후만각(Local kyphotic angle)을 골절추체를 중심으로 측정하기도 한다.

어느 것이 정확하다고는 정의내리기 어려운 것이므로 각 장애평가기준에서 제시하는대로 따르면 될 것이다. 본 저자의 의견은 어떠한 장애가 있는 사람에게 도움을 주고자 하는 평가이므로 압박의 각도가 피검자에게 유리한 측면으로 적용하는 것이 타당하다고 생각된다.

12) 여명에 대하여

척추장애에서 단순히 척추 골절이나 척추뼈, 추간판의 문제로 인하여 여명이 단축된다는 것은 매우 드문 사항으로 대부분의 경우 척수 손상으로 인하여 심한 사지마비나 편마비 등의 심각한 장애가 동반되는 경우에만 여명에 영향을 미칠 수 있다고 할 수 있다. 하지만 이에 대한 명확한 자료는 아직 없으며 이에 대한 연구도 매우 미흡한 것이 사실이다. 하지만 척수손상에 의한 경우 여명을 요구하는 경우가 많기 때문에 어느 정도 이를 제시해야 할 필요가 있다.

척수 손상에 의한 마비 정도가 증상 고정인 상태인가를 확인한다. 이어 자발 호흡의 유, 무성을 확인하고 완전 마비인가 아니면 불완전 마비인가를 확인한다.

그리고 마비상태가 사지 마비인지 아니면 하반신 마비인지 알아

보아 이를 적용하는 것이 도움이 될 것이다.

척수여명의 추정에 대해서는 많은 논문과 연구가 되어왔지만 이는 추적관찰에 많은 어려움이 있으며 현재에는 의료 수준이 매우 발달되어 1970년대 중반까지는 요로감염에 의한 합병증이 가장 흔한 사인이었으나 요로감염에 대한 치료가 발전됨에 따라 1990년대에는 폐렴이 가장 큰 사인이 되고 있으며 그 밖에 심질환, 패혈증, 폐색전 등에 의한다고 하였다. 따라서 최근의 척수손상 환자의 사망원인은 호흡계 질환, 심장질환, 자살이나 외상, 비뇨기계 질환순으로 보고 있는 것이다.

우리나라에서는 '이경석'이 이에 대한 많은 연구자료를 내놓고 있는데 이를 참조한다면 척수손상 환자에서의 여명 추정을 할 때 도움이 될 수 있을 것이다(표 25).

그리고 연령에 의한 여명의 정도도 추정할 수 있는데 이는 항상 일률적인 사항이 아니라 장애평가 대상의 상태에 따라 다를 수 있다. 정상인의 여명은 매해 다를 수가 있으므로 이는 해당 년도의 통계청자료를 이용하면 될 것이다.

표 25. **척수손상 후유장애인의 일반인의 여명에 대한 여명비율**

장애정도		참고사항	여명비율
완전 마비	사지, 호흡기의존	호흡기 합병증, 요로감염, 욕창, 혈전증 여부	10~30%
	사지, 자발호흡	호흡기 합병증, 요로감염, 욕창, 혈전증 여부	30~50%
	하반신	요로감염, 욕창, 혈전증 여부	50~70%
불완전 마비	사지	요로 감염, 보행, 손쓰기	70~90%
	하반신	요로 감염, 보행 여부	90~100%

표 26. **연령에 따른 척수손상 여명 추정**

마비 정도 / 나이	완전			불완전	
	사지, 호흡기의존	사지, 자발호흡	하반신	사지	하반신
0~20세	27~37%	61~71%	78~88%	81~91%	92~100%
21~40세	24~34%	55~65%	71~81%	76~86%	91~100%
41~60세	22~32%	50~60%	63~73%	69~79%	89~99%
61세~	22~32%	36~46%	37~47%	64~74%	88~98%

여명비율 = 장애자의 여명 / 정상인의 여명 × 100

13) 척추손상 시 개호에 대하여

개호의 필요성은 일반적으로 척추체의 손상으로 인한 경우는 거의 해당되지 않는다. 다만 척수 손상이 잔존하며 이로 인하여 마비상태가 잔존하게 되는 경우라면 이로 인한 일상 기본적 생활의 제한으로 개호를 필요로 한다고 할 수 있다.

개호비용은 피해자가 앞으로 지불해야 하는 금전적 손해의 일부이기 때문에, '있으면 좋겠다'의 정도가 아니라, '반드시 필요하다'고 판단되는 경우에 한하여 인정함이 법리(法理)라고 할 수 있다. 따라서 노동력이 하나도 없는 사람이 다른 사람의 노동력의 도움을 받아야 할 상태일 때만 인정함이 반드시 필요하다는 조건에 합당할 것이다.

현행 우리나라 법률상 개호에 대한 판단기준이 있는 법률은 산업재해보상보험법 시행규칙 제24조와 자동차 손해배상 보장법 시행령 별표 2등이지만, 개호의 종류, 내용, 기간, 필요 인원수 등이 명확하게 적혀있지 않거나, 불합리하기 때문에 자주 논란이 되고 있다. 최

근에는 산재보험법에서는 개호 등급을 1, 2, 3등급으로 구분하여 이를 적용하고 있다

개호가 필요한 정도를 개호요구도 계수를 이용하여 평가하는 경우에는 먹기, 입기, 씻기, 대소변 가리기, 몸 굴리기, 상지 쓰기, 걷기 등의 수행가능 정도를 확인하여 판정하는 것이 좋다.

14) 향후 치료 내역과 예상 비용

향후 치료비 산정에 대해서도 법원의 신체 감정 시 대두되는 사항 중의 하나이다. 하지만 의료 수가의 변화 및 치료내용의 발전 등으로 이를 어느 정도 정확히 산정하는 것은 불가능할 것이며 정확히 제시하기도 어려운 사항일 것이다. 대부분의 향후 치료비 내용은 척수 손상에 의한 장애판정시 요구되는 사항이다.

척수손상은 퇴원 후에도 호흡기계, 순환기계, 근골격계, 비뇨기계, 소화기계, 피부, 등 여러 가지 신체적인 합병증은 물론 우울증이나 자살 등 정신적인 면에서도 많은 합병증을 만들기 때문에, 평생동안 주기적인 의료제공을 받아야 하는 경우가 대부분이다. 또한, 퇴원할 때 퇴원 후 관리에 대한 체계적인 계획이 있어야 한다. 보통 퇴원 후 1, 3, 6, 12개월에 한 번씩 진료를 받고, 이후 매년 한 번씩 진료를 받아야 하는 것이 일반적이라고 하겠다. 그리고 신체적인 진찰만이 아니라 여러 종류의 검사를 주기적으로 시행해야 하며, 합병증이 발생한 경우에는 더 많은 정밀검사가 필요하기도 한다.

따라서 향후 치료비는 앞으로 소요될 비용을 추정한 비용이기 때문에 오차(誤差)가 있을 수밖에 없다. 특히 척수손상의 향후 치료는 합병증 발생 여부와 합병증의 종류에 따라 크게 다르기 때문에 합병증이 전혀 발생하지 않은 경우에 비해, 여러 합병증이 계속 발생한 경우는 치료비가 수십 배 차이가 날 수 있는데, Young 등의 조

사에 의하면 약 20%의 척수손상 환자가 전체 척수손상 입원환자의 총 입원 일수 중 82%를 차지한다고 하고 있다. 즉, 합병증이 발생한 소수의 환자가 치료비의 대부분을 사용하게 되는 것을 나타내고 있는 것이다. 하지만 합병증 발생 여부를 미리 알 수가 없기 때문에, 일률적인 향후치료비 산출방법이나 공식을 도출하기가 매우 곤란한 것이다.

5. 요약

장애 정도를 평가하는 데에는 어떠한 정확한 방법이 있을 수 없으며 완벽한 장애정도를 나타낼 수 있는 방법도 없을 것이다. 간혹 장애평가 기준 적용이 서로 다를 경우가 있어 차이가 나는 경우가 있는데 이는 잘못된 평가가 아니라 장애 평가자에 따라 피검자의 장애정도가 어느 것이 가장 중요하느냐에 따라 달라질 수 있을 것이다. 동일한 피검자를 대상으로 평가를 하더라도 장애기준의 적용이나 장애율이 다를 경우가 나타날 수 있다고 할 수 있다.

그러므로 장애율 특히 척추장애 판정평가 방법은 그 방법이 매우 복잡하며 다양하고 판정자 자신도 혼돈하는 경우가 많다고 할 수 있다. 그 이유는 척추장애 판정은 다른 장애 판정과는 달리 동일한 장애 정도에서도 피검자 개개인에 따라 정도가 다양하며 호소하는 정도가 차이가 날 수밖에 없어서이다. 하지만 장애 판정의 오차를 줄이기 위해서는 장애 등급의 판정 기준에 대해 잘 숙지해 놓아야 하며 보다 객관적인 자료를 제시하여 판정 평가하는 것이 중요하다고 할 수 있겠다.

장애 판정은 아무리 객관적 평가법이라고 해도 판정자의 주관이 나타날 수 있고 이 또한 판정자의 주관적인 요인이 평가에 중요한 기준이 될 수 있다. 따라서 판정자의 결정이 다소 차이가 있더라도 이를 존중해야 하는 것이 필요하다.

여기에서는 척추 판정 방법이 다른 판정자의 기준과 다소 차이가 있을 수 있지만 척추장애 판정을 하는데 어느 정도 도움이 되기를 바라는 바이다.

참고문헌

1. 이경석: 장애 평가와 의료감정. 서울: 중앙문화사, 2002
2. 이숭덕: 의료감정서 작성요령. 2003 대한의료감정학회 추계 연수교육; November 15; 가톨릭 강남성모병원 의과학연구원. 서울: 대한의료감정학회, p 44, 2003
3. 이숭덕: 의료문서 작성 요령. 의료감정 2: 17-21, 2005
4. 임광세: 배상의학의 기초. 제5판. 서울: 중앙문화사, 2004
5. Blair WE: Building a disability practice. AMA guides; March 10-13; Chicago, IL: American Academy of Disability Evaluating Physicians, 2001
6. Demeter SL: Contrasting the standard medical examination and the disability examination. in Demeter SL, Andersson GBJ, Smith GM, eds: Disability evaluation. St. Louis, MO: Mosby, pp 68-72, 1996
7. Lee KS: We need the board of independent medical examiners in Korea. Korean J Med Law 9: 109-118, 2001
8. Rondinelli RD, Genovese E, Brigham CR, et al.: Guides to the evaluation of permanent impairment. 6th ed. Chicago, IL: American Medical Association, 2008
9. Zinn W, Furutani N: Physician perspectives on the ethical aspects of disability determination. J Gen Intern Med 11: 525-532, 1996